西方无师自通绘画教程

50个小幅丙烯画创作技法

LITTLE WAYS TO LEARN TO PAINT IN ACRYLICS WITH SMALL PAINTINGS

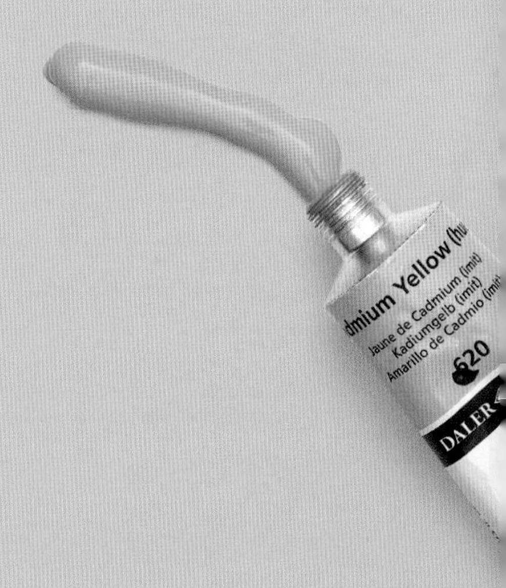

西方无师自通绘画教程

50个小幅丙烯画创作技法

LITTLE WAYS TO LEARN TO PAINT IN ACRYLICS WITH SMALL PAINTINGS

【美】马克·丹尼尔·尼尔森 著／刘瑜 陈浩 译

上海人民美術出版社

目 录

第三章

进阶 72

第四章

面与形的表现 104

欢迎你的到来！

在我20岁出头，还是一名学艺术的学生之时，我清楚地记得自己在华盛顿特区国家美术馆，与那些高大的经典历史作品共同度过的一个下午。那些巨幅的罗斯科（Rothkos）、卡拉瓦乔（Caravaggios）和比尔兹塔德（Bierstadts）的作品震撼了我，因为从前看到的只是艺术史书上的小尺寸印刷品。然后意想不到的事情发生了：我信步走进一个满是小尺寸画作的小房间，随意扫看，法国艺术家亨利·方丹-拉图尔（Henri Fantin-Latour）的自画像引起了我特别的注意。“这怎么可能，在一个满是大师们巨幅经典之作的博物馆里，我的最爱竟然是一幅不起眼的小画作？”

从那一天开始，我便结下了与小幅画作的缘分。在我看来，这些小幅画作的优美之处就在于它们是那样的直白而又富有冲击力。因为没有那些不必要的细节，小幅绘画作品常常具有巨幅绘画所没有的直接、明晰和魅力。

当第一次想到用50幅小画作来写一本关于丙烯画的书籍时，我决定要抓住机会。本书中，我将诠释自己对小幅画作的钟爱，并设计了适用于各种层次学生学习的绘画案例。书中大多数的作品只需不到一个小时即可完成，同时它们涵盖了提高丙烯绘画技巧所需要的全部内容。一次画一幅小画，希望你们能够喜欢这50幅作品，且认识到丙烯绘画的价值。

马克·丹尼尔·尼尔森
（Mark Daniel Nelson）

“大事因一系列的小事而成。”

文森特·凡·高
（Vincent van Gogh）

案例图片集

此图片集为本书中所绘的所有50幅作品。

看一看，选一幅想画的，然后对照相关页面的说明，开始创作吧。

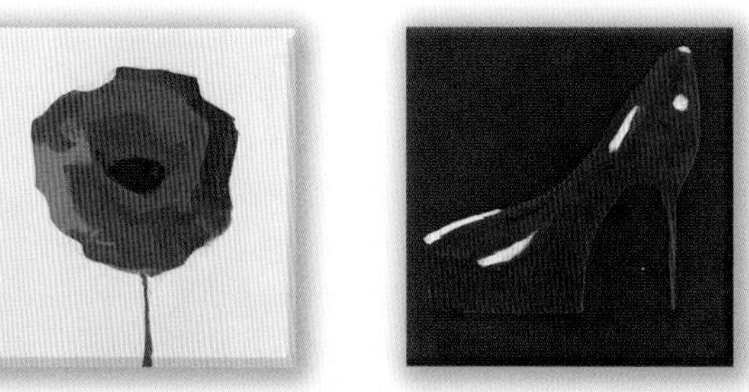

从左至右、从上至下：
第一排：36页、38页、40页
第二排：42页、44页、46页
第三排：48页、50页、52页
第四排：54页、56页

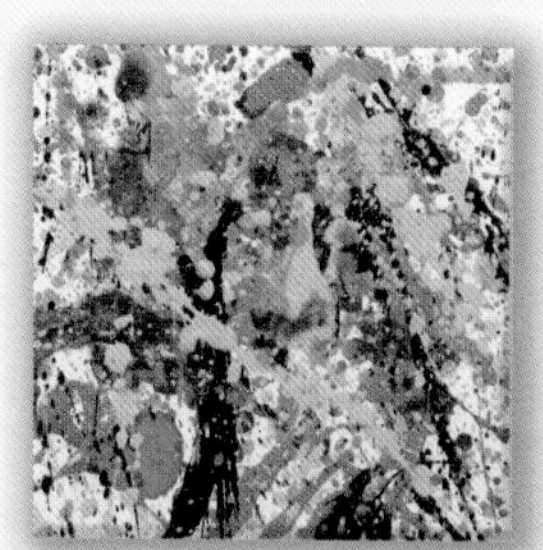

从左至右、从上至下：
第一排：58页、60页、62页、64页
第二排：66页、68页、70页、74页
第三排：76页、78页、80页、82页
第四排：84页、86页

从左至右、从上至下：
第一排：88页、90页、92页
第二排：94页、96页、98页
第三排：100页、102页、106页
第四排：108页、110页

从左至右、从上至下：
第一排：112页、114页、116页、118页
第二排：120页、122页、124页、126页
第三排：128页、130页、132页、134页
第四排：136页、138页

通往案例绘画 ▶

第一章

材料及方法简介

在开始这50个案例作品之前，需要了解各种材料，以及关于色彩和布局设计的相关基础法则。本章将向你们介绍丙烯画的基础知识、画笔、画布，以及完成本书中作品的其他相关所需。

选择画布

本书中所举案例使用的材料，分别为丙烯底料与20毫米（3/4英寸）厚度的中密度纤维板。这种中密度纤维板可以在大部分的五金店购买到。

在使用丙烯颜料时，大家通常选择的是一种预拉伸的、从艺术品商店中买来的丙烯画布。然而，相对于在一块现有的画布上进行绘画的传统方式而言，如今还有很多其他的材料选择。最近，丙烯颜料制造商就研发出了一系列的可用作丙烯绘画的底板，例如玻璃、金属和布料。

	类型	优点	缺点	准备
纸张	画布纸 多媒体纸张 丙烯画衬垫	比现有画布便宜 现时供应 表面光滑 便于切割 轻便	稳定性较画布差一些 容易弯曲	可在衬垫上直接绘画 需预刷丙烯底料或其他底板涂料
画布	预拉伸画布 附于板上的画布 未黏合的画布卷 未灌注的画布卷	大多数艺术品商店有售 表面纹理清晰 轻便 表面有弹性	价格昂贵 拉伸后稳定性变差 不易切割	伸展 预刷丙烯底料
中密度纤维板/梅森纳特纤维板/木画板	3毫米（1/8英寸）梅森纳特纤维板 6毫米（1/8 英寸）硬纸板 15毫米（5/8英寸）、20毫米（3/4英寸）、25毫米（1英寸）厚度的中密度纤维板 桦木胶合板 白杨木或椴木嵌板	稳定性极好 价格便宜 表面坚硬	需要打理 笨重 不易切割 受潮后容易弯曲	预刷丙烯底料

为了达到本书中案例画作的效果，我建议自己准备画布。因为相对于购买画布而言，这种方法能够节省很多的成本，并且它能够让你尽情地尝试，且不需要担心因为与最初的设想不一致而造成的浪费。

如果决定自己准备画布，这里有许多可行的备选方案。最简便的方法就是将丙烯底料刷到画布上（市面上也有一种油性底料，所以请认准标牌上的“丙烯底料”字样）。较为昂贵的底料能够快速地覆盖画布，而较为廉价的底料则可能需要多进行几次涂层。

虽然可以在纸张上直接进行绘画，但是如果纸张未能黏合到一个固定的表面上的话，容易弯曲变形。如果你喜欢纸张的肌理，但又想呈现出那种木板所表现出来的硬度，则可以用胶水将纸张或画布黏合于一个硬物的表面。这样就可以使得作品表层更加稳定，但同时也会增加作品本身的重量。而在完成作品以后，想要挪动作品，就需要小心一些了。

用丙烯底料来漆刷画布

用丙烯底料来漆刷底板，简便的方法就是用一把25毫米（1英寸）规格的刷子来均匀地漆刷底料。等10分钟以后，再进行第二次涂刷。当画布表面干燥，可以用手触摸时，底板就可以用来绘画了（大概漆刷完成15分钟以后）。

将画布或纸张黏合于底板的步骤

1 要想将画布或纸张黏合于面板，首先需要用一支泡沫涂料棒在底板的整个表面涂以胶水，这样就能够将纸张或者画布黏合于底板表面，并且能够保护纸张或画布免于受到底板材料中所可能含有的酸性物质的腐蚀。

2 紧紧地按压位于已上浆的画布或纸张上方的底板（胶水将会附着在没有上浆的一面）。

3 用美工刀修剪画布或纸张的边缘，并确保在作画前让表面干燥一个小时。

丙烯颜料

对于初学者和高级绘画人员来说，目前可供选择的丙烯颜料有很多。

在谈论不同产品的细节之前，我们有必要知道，所有的丙烯颜料都是由色素和黏合剂混合而成的。其中，合成物里的色素常常呈现出初始的粉末状态，而黏合剂使得这些色素融合在一起。丙烯颜料中的黏合剂是聚合物形态的（如塑料，这和用来黏合油画颜料的油脂是不同的）。不同的丙烯颜料产品，其在价格和质量方面所形成的差异，主要在于色素的比例和颜料中的黏合剂。丙烯颜料优于其他媒介剂的特点就是其速干性。然而，使用丙烯颜料也有一个弊端，就是丙烯黏合剂无法像油质黏合剂那样吸附色素。相比于厚重的不透明颜料，丙烯这样的透明颜料更加适合于涂层和上釉。

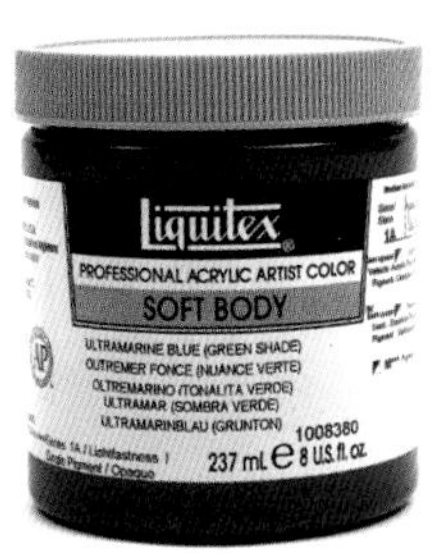

你可以购买管装、罐装、瓶装、喷壶装的丙烯颜料，采用不同的包装方式的产品往往呈现不同的颜料黏稠度。

黏稠状丙烯颜料与稀释状丙烯颜料

大多数的丙烯颜料品牌都会提供黏稠和稀释（也被称作液状颜料）这两种颜料形态供客户选择。虽然这样看上去有些不合常理，但稀释状的颜料确实往往更加不透明，这其中的原因就在于产品中使用了较少的黏合剂。

为了适应不同艺术家的偏好与需求，有各种不同黏度的丙烯颜料产品。稀释的颜料（最左图）主要用来作轻淡的部分，而黏稠的颜料（左图）则用以作品的浓密部分，例如厚涂法。

每种色彩中的上端部分是使用稀释状丙烯颜料绘制出来的，而下端部分是使用黏稠状丙烯颜料所画。可以注意到的是，虽然两类颜料在用尽全力进行漆刷的情况下仍旧不是完全通透，但是稀释状丙烯颜料能够较好地对画布表层进行均匀的覆盖。

“学生级”和“专业级”丙烯颜料

学生所用的颜料通常相对便宜一些，原因在于这类颜料所含的色素较少。如果你只是刚开始学习丙烯画，这些颜料会用得着。需要注意的是，学生级（或叫“工艺级别”）丙烯颜料会相对通透一些，并且在使用过程中，会出现亮色系很难覆盖暗色系的情况，例如无法用黄色去覆盖黑色。相比较而言，更高级的颜料会更昂贵一些，原因在于它们包含更多的色素，色彩覆盖力也就更强一些。

相对于专业的颜料，学生用的颜料会在覆盖力方面弱一些。这种差异可以通过对比浅镉黄和中镉红而明显地看出来。然而，这种效果在马尔斯黑、群青和原色钛这三种颜色上就没那么明显了。

赭石（学生级）

赭石（专业级）

黄褐（学生级）

黄褐（专业级）

群青（学生级）

群青（专业级）

原色钛（学生级）

原色钛（专业级）

钛白（学生级）

钛白（专业级）

浅镉黄（学生级）

浅镉黄（专业级）

马尔斯黑（学生级）

马尔斯黑（专业级）

中镉红（学生级）

中镉红（专业级）

“色调”、“混合物”与“纯天然”色素

另外一种减少颜料（例如镉）成本的方法，是通过混合来获取接近色彩的混合颜料。而这些混合颜料就是那些标牌上标注着“色调”或者“混合物”的颜料。

柠檬黄与柠檬黄（色调）看上去一样，但是标注“色调”的这种颜料，是由较为便宜的色素材料所制造出的色彩近似的颜料。

丙烯颜料

基本调色板

如果你正在节省费用或者仅仅只是刚开始学习丙烯画，并且不打算在材料方面花费太多，这里有一些关于色彩应用方面的建议。

初学者

如果是刚开始接触丙烯画，并且不打算在绘画初期花费太多的话，可以尝试以下清单中的学生级色彩系列。

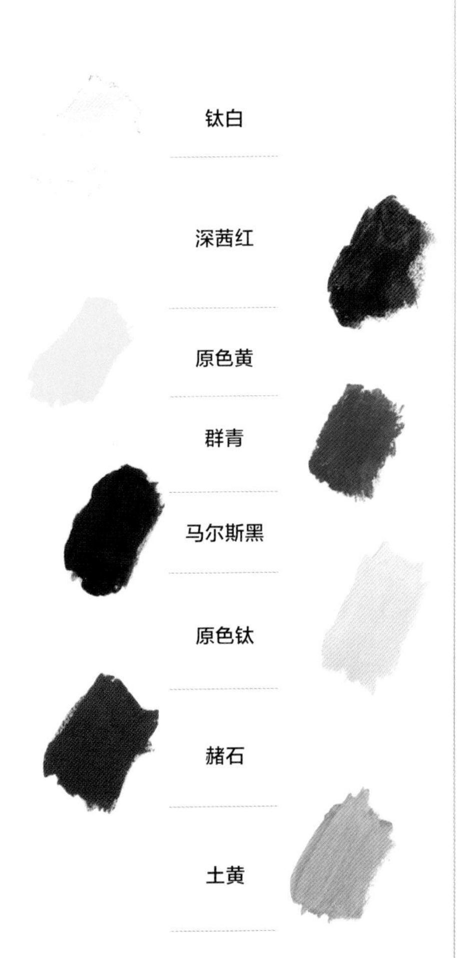

中级

如果准备采用更高级的色彩方案，可以尝试这些色彩的标准版本（不是学生级别）。

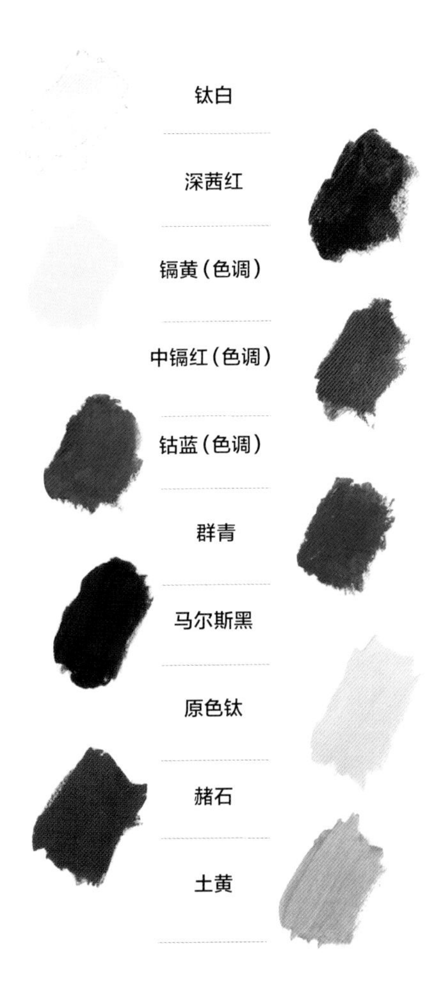

高级

要想得到专业级别的色彩方案，则需要添加“纯净”的镉色素，以及更多的蓝色和紫罗兰色。

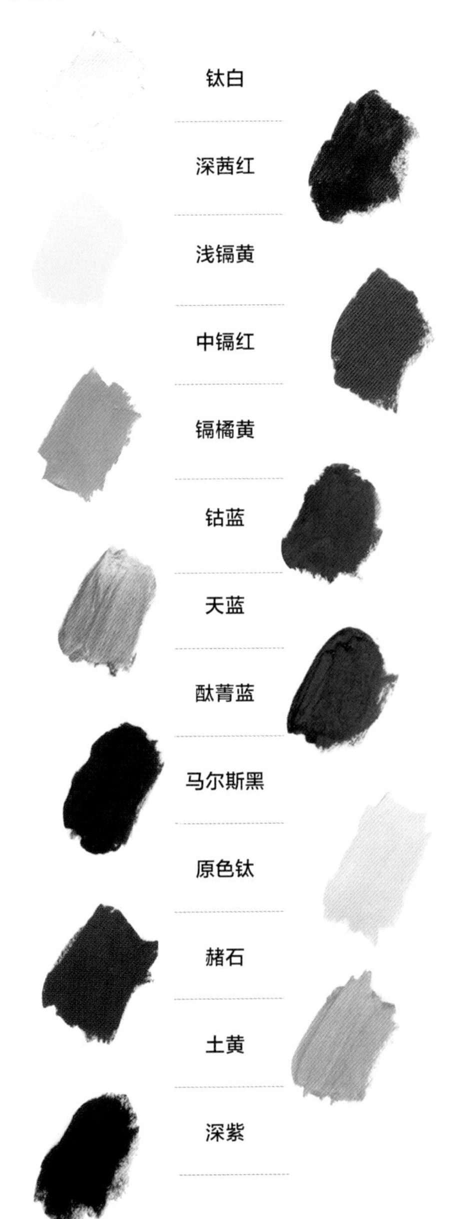

媒介剂与添加剂

丙烯颜料是由黏合剂或“媒介剂”结合而成的颜料。

建议你使用媒介剂（而不是水）来对颜料进行稀释，从而获得合适的颜料稠度。这是因为往颜料中添加水，不仅会稀释颜料，而且会稀释黏合剂。这样一来就会减弱颜料附着于基底层的黏度，特别是在颜料变干以后会更加糟糕。用丙烯颜料媒介剂进行稀释会获得比水稀释更好的效果，这是因为用丙烯颜料媒介剂所稀释的黏合剂仍旧是纯净的黏合剂，进而相比于水稀释黏合剂，能够更好地黏合于基底层上。

丙烯颜料媒介剂产品鱼龙混杂，并且会给初学者带来不必要的困扰。针对本书中所列举的案例，我用亚光丙烯颜料媒介剂来稀释颜料。此外，这里还有一些其他的选择。

增稠剂

胶体媒介剂可以使颜料更加黏稠。如果你喜欢纹理清楚的绘画笔触，可以尝试将胶体媒介剂添加到颜料中。

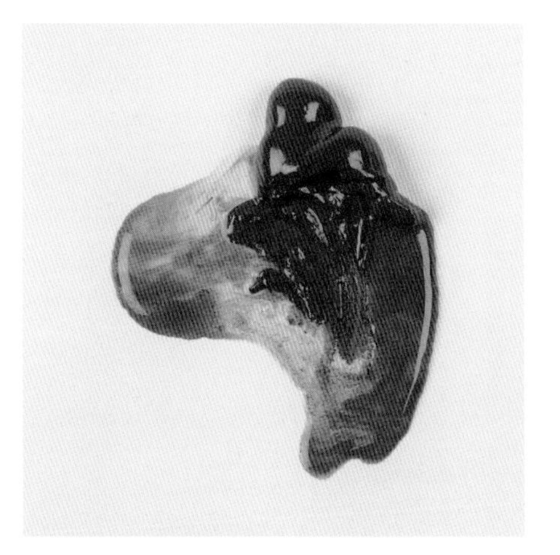

缓冲媒介剂/缓凝剂

如果颜料的干燥速度过快，可以使用缓凝媒介剂来缓和颜料的干燥，以便于进行更加耐心细致的下一步工作。

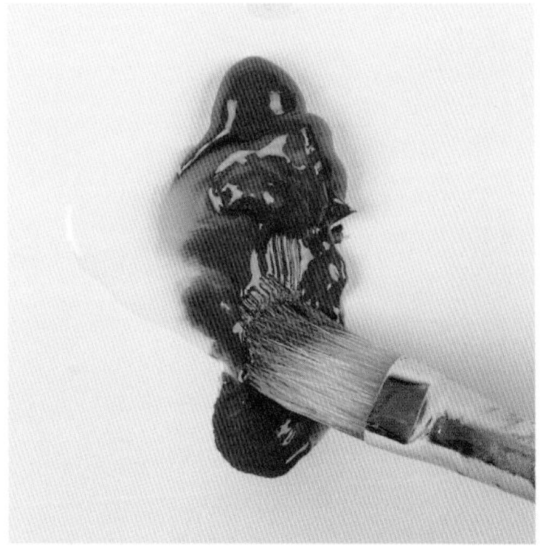

上釉媒介剂

这是一种稀释、柔滑的媒介剂，很适合颜料表层的上釉。这种媒介剂能够较好地减轻颜料的分量。

无光泽的、光滑的或者光泽的媒介剂

如果想要作品在完成以后形成光泽，这里有很多种媒介剂可供参考。无光泽的媒介剂会阴暗一些，光滑的媒介剂有一些反射作用，而光泽的媒介剂会让作品显得非常明亮。我自己偏好无光泽的媒介剂，原因在于它们能够协调整个表面，而又不会产生漫反射。

无光泽的媒介剂效果

光滑的媒介剂效果

光泽的媒介剂效果

画笔

即使是最有经验的画家，想要从艺术品商店或在线供应商那琳琅满目的商品中选择出适合的画笔，也不是一件容易的事情。

一个画笔包，在可以让你随身携带所需画笔的同时，也能够避免外力对画笔所造成的损坏，并且在需要使用时，能够一目了然，轻松获取。

各式各样的材料、形状、尺寸和价格，会让你在挑选画笔时显得格外困难。即使在决定购买画笔时已经在头脑中形成了关于它的明确特征，到最后你还是应该挑选一支适合自己的画笔。包括画笔握在手中的感受，画笔的重量和平衡性，把手的长度甚至是画笔的价格等等，这些都是需要考虑的问题。

画笔的尺寸

以下是一些画笔的基本形状，它们在绘画过程中都可能用得着，所以你可以多买一些。

布莱特画笔（1）：简短、平直，适合短而长条形的笔触。

平头画笔（2）：形状同布莱特画笔一样，但它的笔头更长，能够吸附更多的颜料。

榛形画笔（3）：与平头画笔相似，但有一个圆形的笔头，可以满足各种绘画要求。

线形画笔（4）：非常的细长，适合细节勾画。

圆头画笔（5）：可用来作亦厚亦薄的笔触，可以满足各种绘画要求。

拖把刷（6）：最适合进行快速大面积填充的刷子。

调色刀（7）：适用于浓厚而又生硬的笔触，或者在边缘作非常细小的线条。

埃尔伯特画笔（8）：长笔头版本的榛形画笔，适用于泼洒效果，但是难以控制。

扇形调色刷（9）：适用于画肌理结构线条（例如草或毛发）。

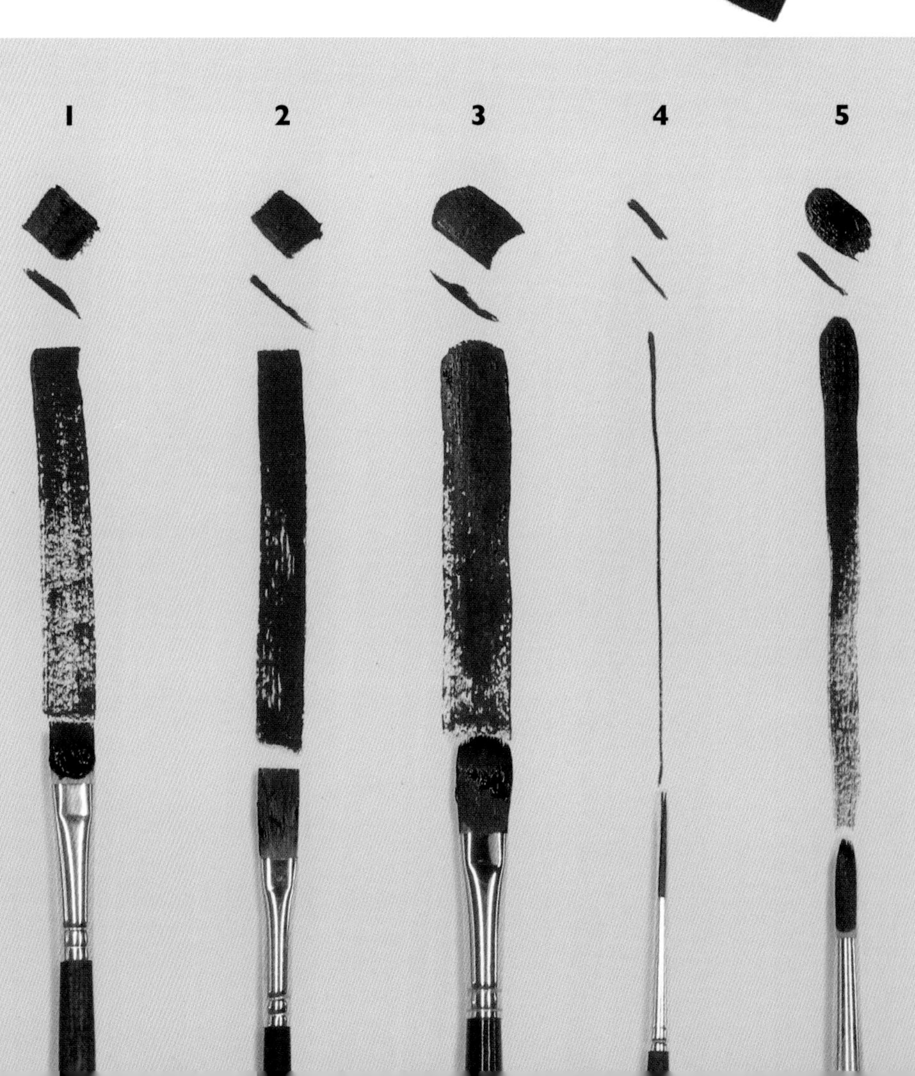

坚硬与松软

感受一下画笔的笔头，如果它摸上去坚硬，这个画笔会适合作浓密而又厚重的笔触。松软的画笔可以吸收更多的颜料，适合蘸取稀释的颜料来进行涂色。

天然的与合成的笔头

天然的（毛发取自动物）笔头，比合成的（人造的）笔头更加昂贵。相比其他颜料，丙烯颜料会加速对画笔的损坏，原因是画丙烯画需要经常清洗画笔。因此，更加耐用的合成笔头通常更容易受到使用者的青睐。

画笔的尺寸

大号画笔在大面积绘图方面会有较大帮助，小号画笔更适合细节部分的刻画。一支中号画笔往往既能替代大号画笔，又能替代小号画笔。

学生级与专业级

大部分的艺术品供应商店都会提供不同类型的绘画画笔。“学生级”的画笔会相对便宜一些，但耐用性也会差一点。“专业级”的画笔在得到适当的清洗和护理的情况下，可以使用很多年。

价格

与其买很多劣质的画笔，还不如买一些高质量的画笔，并对它们作适当的护理。毕竟劣质的画笔在完成少量的作品以后就会坏掉。如果你只是初学绘画，会觉得便宜的东西还不错，但同时，你将不得不经常替换新的画笔，从而造成不必要的浪费。

对画笔的适当护理

在等待色层变干或者中途休息的时候，不妨用一个带格栅的水桶来彻底地清洗画笔。那些没有及时清理干净的画笔，上面的丙烯颜料会迅速地变干，这样一来，本打算接下来使用的画笔就会被损坏。同样，不要将画笔长时间竖立在水中，这样会破坏画笔的形状，并且很有可能导致金属箍头从笔杆上松落下来。在结束当天的绘画以后，请用画笔专用的洗涤液清洗画笔，并去除遗留在笔头上的残余色素。如果画笔变了形，你可以使用一些画笔修复液（艺术品供应商店有卖）来重新对画笔进行塑形，并一直将其固定到下次再绘画的时候。

如果残留的颜料变干，画笔就会遭到严重的损坏，所以请务必在水中将画笔上的残留颜料清洗干净。

调色板

丙烯颜料最实用的特性可能就是它能够在很短的时间内变干，从而形成牢固、持久的作品。在大多数情况下，这种特性对我们来说是有帮助的。但是快速变干的特性也产生了一个问题，那就是往往刚挤到调色板里的颜料，还没有开始使用，它就变干了。解决这个问题的方法是用一块调湿板或海绵作为底板，来融合和储存颜料。

我喜欢用Acryl-a-Miser品牌的网格调色板（下图）。主要是因为它设有很多的隔盘来盛放颜料，所带的盖子也很容易开合。

选择你的调色板

为了适应艺术家们的不同喜好，调色板往往会有材料、形状和尺寸方面的区别。你可以购买一个专用的调和丙烯颜料的调色板，或者简单一点，使用一个旧的餐盘或食品包装来作为调色板，例如塑料的酸奶瓶盖子。

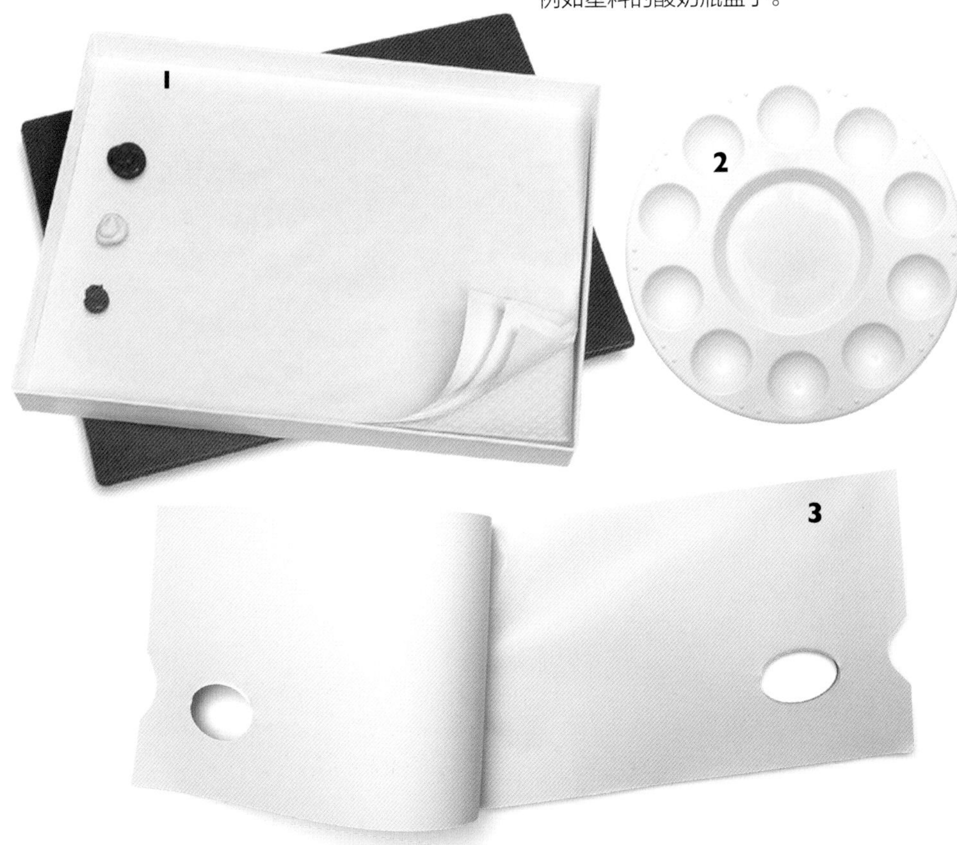

附带盖子与海绵体的塑料调色板（1）

一个附带盖子与海绵体的内置调色板能够使得颜料不至于快速变干。

优点：可以轻易地保持颜料的长时间湿润，轻便，容易清洗。

缺点：一些调色板上的盖子不易移开，购买海绵体或调湿板也会花费不少。

小巧的圆形调色板（2）

一种拥有很多储存和调和颜料区域的塑料盘子。

优点：轻便；所占空间较小；因为有很多个独立的凹槽，可以保持颜料的清洁。

缺点：颜料的调和区域比较有限，清洗起来很麻烦。

调色纸板（3）

一种用很多张铜版纸做成的纸板。

优点：价格低廉，易清洗（使用过以后直接扔掉），轻便，携带方便。

缺点：长期使用容易变弯曲；无法长时间储存颜料；扔掉这些纸板时，会造成一些颜料的浪费。

合理利用你的调色板

在组织调色板的使用空间方面，有很多的方法。你可以参考色相环，或者按照色彩明度来安排（将白色和黄色的颜料放置在一侧，而将紫色、棕色和黑色的颜料放置在另外一侧），抑或者按照我们内心对于颜色的顺序来组织调色板空间的使用。将颜料以细线形的方式挤在调色板中，而不是挤出堆状，这样便于在蘸用它们时，仍旧保持颜色之间的清洁。

这是我本人布局调色板的方法:
对于在一块调色板上协调颜料的布局，我的方法比较简单：将暖色系和非土色系的颜料放置在调色板的左侧，冷色系蓝色和紫色放在中间，土色系颜色放在右侧。钛白在左侧，然后是浅镉黄、镉橘、中镉红、深茜红、二氧化紫、群青、土黄、赭石和马尔斯黑。这样的排列顺序已使用多年，并有效地帮助我思考颜色。

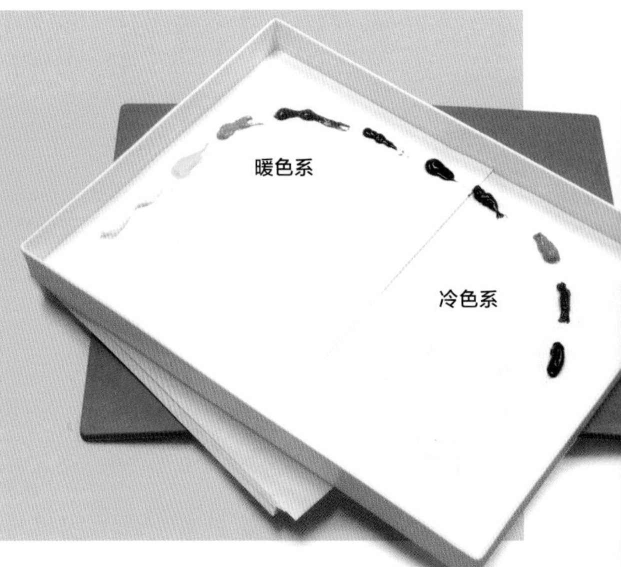

临时的调色板

如果想自己动手制作调色板，可以在一个小型的塑料盒子里，将三到四个厨用海绵放在制冰格的底部和其中一个侧面，然后向海绵中灌注充足的水分以使它们保持湿润，但同时也要确保塑料盒子的底部没有多余的水。接下来在制冰格中分别放入不同的颜料，并定期向调色板喷水，以防止颜料变干，不用的时候用盖子盖住塑料容器。这样做有一个缺点是，如果长期保持封闭，会造成海绵和颜料发霉。将一调羹的氨涂抹到其中一块海绵上，就可以解决这个问题了。

这款手工制作的调色板花费很少，即使不怎么管它，里面的颜料也可以保持数周时间的湿润，甚至长达数月。

色彩与明度

色彩与明度之间的概念关系应该是画家所需要理解的最重要的（而且通常是最为晦涩难懂的）概念。简单地说，有一些色彩是亮色系的，另一些是暗色系的，而还有一些颜色是介于亮色系和暗色系之间的。

色彩

色相环是一种艺术家已使用很久的色彩工具，它的功能是帮助画家在进行绘画时能够更好地运用色彩。虽然大自然中的色彩变化很丰富，但是色相环能帮助我们合理地限制绘画所用的色彩范围，从而使得作品保持一致与协调。而关于运用有限色彩组合的练习，人们往往将其称为配色方案。这里有一些最为通用的配色方案。

色相环

不仅是对色彩组合的选择，色相环也可以作为颜色运用的参考。

相近色

使用在色相环上与另外一个颜色相近的色彩，例如限定色彩的范围，从而仅仅包括——蓝绿色、绿色、黄绿色。

互补色

用色相环上相对的色彩，例如蓝色和橙色。

分散的互补色系

类似于互补概念而不是使用互补色，使用接近其中一个互补色的两个色彩，例如蓝色和绿色之间的红橙色。

三色系

三色系所使用的是位于色相环上彼此具有同等距离的三个颜色。红色、蓝色、黄色可以组成一个主三色系，而橘黄色、绿色和紫色则组成次三色系。

四色系

四色系是一个相当难以管理的复杂色系。其中，从色相环的一侧选择两种色彩，然后将这两种色彩与位于色相环对立一侧的两种色彩相结合，从而在色相环上形成一个正方形或者长方形。

明度

如果你已经掌握了只使用钢笔或者铅笔来进行绘画，那么就会习惯以明度的方式来思考绘画，即主要分为亮色和暗色两大类。当我们谈及色彩时，所谓的“明度”就是指一个色彩是相对亮一些还是相对暗一些。例如，黄色是亮色色彩，紫色是暗色色彩。对我们来说，一个对比不同色彩之间明度差异的有效方法，就是采用斜视的方法来观察色彩。在这种情况下，如果色彩之间的界限消失，那么它们就具有同样的明度。区分一个颜色的明度对于调和颜料很有必要，特别是需要去简化一个复杂的景象。通过减少作品中间明度的数量，你将更容易绘制出一幅具有内在凝聚力和外在和谐性的绘画作品。

理解和运用明度

虽然我们的肉眼可以识别很多不同的色彩，并且能够辨别出它们的名称，但是当运用黑白色的方式来观察它们时，它们却表现出相同的明度，正如右图所显示的结果那样。

这些颜色可以很容易地被辨认出为橘黄色、蓝色和粉红色。

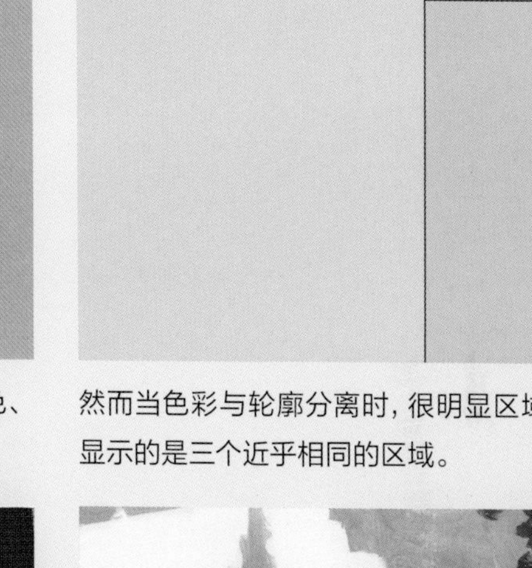

然而当色彩与轮廓分离时，很明显区域中所显示的是三个近乎相同的区域。

上图的绘画作品就是这种原理的一个案例。当对作品进行全色观察时，白雪上面的蓝色倒影和森林所表现出来的绿色看上去就像是由不同的色彩所形成的独立区域。

然而当我们以黑白色来观察这幅作品时，可以清楚地发现近处雪景的明度与远处森林的明度是近乎相同的。因此我们可以发现，通过引入明度的概念，能够实现绘画作品更好的统一。

将色调调整为黑色就可以揭示这些色彩的明度（第四排）。对于浅淡的（第一排）和深色的（第三排）背景，借助一个中间明度的（第二排）背景来判断不同色调的明度值通常会更加容易一些。

基本法则

在创作绘画时，艺术家们通常会极其关注，如何以统一和谐的方式将物体或景象呈现出来。当你进行绘画创作时，为了让构图更加让人愉悦、和谐统一，关注一些基本法则是必要的。

在这件作品中，色彩和轮廓都十分相近。

统一性

想要创作出统一而又连贯的绘画作品，就需要实现创作元素与共同属性的统一。通过运用相似的色彩、轮廓甚至是笔触，作品的所有组成部分将会合力构造出完整的作品。

在这件作品中，向日葵中的黄色和橘黄色实现了和谐统一，黄色、橘黄色、绿色和蓝色所形成的组合显得很和谐。

协调性

协调性是一个与统一性相类似的概念，除非你所寻求的元素是对另一个元素的补充，而不是匹配。因此需要选择那些可以相互协调统一的色彩。

几近黑色的背景与猫的身体和脸上的亮光形成了有力的对比，从而使这只猫显得格外生动。

对比性

如果想要创作出生动的作品，那么可以通过放大明度或者色彩方面的对比来实现。可以运用亮色系对暗色系来实现明显的色调对比；而如果想要获得生动的色彩对比，就需要使用处于色相环中位置相对的两个色彩来实现。

焦点

当我们进行绘画创作时，最为重要的一件事情可能就是要找准一个"焦点"，这个焦点指的就是整件作品中最为重要的部分。其他的部分都是用来从属和服务于这个焦点的。

在这幅画作中，右侧的汽车就是焦点。

平衡

使用合理的关系和组成结构来实现作品的平衡感。作品中的平衡要么是对称的（也可称为对等的），要么是不对称的（也可称为不对等的）。对称的平衡就意味着作品的每一个部分对于作品的中心主旨来说，都是同样重要的；而不对称的平衡就意味着对某个部位的刻画会少一些刻板，而多一些有节奏的处理方式。

在这里，山占据了整幅作品三分之一的版面，而前景的树林则占据了作品一半的面积。

主导性

在使用主导性法则的作品案例中，最为常见的是为地平线选择一个位置。地平线放在画布的正中间，就会把整幅画分为完全对等的两部分，而这样往往会产生一种让人不舒服的视觉印象。相较之下，地平线上移可以让地面形成主导，或者下移可以让天空形成主导。这样的应用规则同样也适用于颜色（形成主导性色彩）、明度（形成关键性色调）和轮廓（形成主导性目标）等等。

当地平线接近作品上端时，道路区域就会显得更加具有主导性。

重复

想要让观众快速地审视、观察作品，可以简单地重复那些相似的廓形、色彩等要素。既然大部分人都是从左往右来观察事物的，那么将所重复的内容放置在作品的左侧，并在向右转移的过程中重复这些东西。

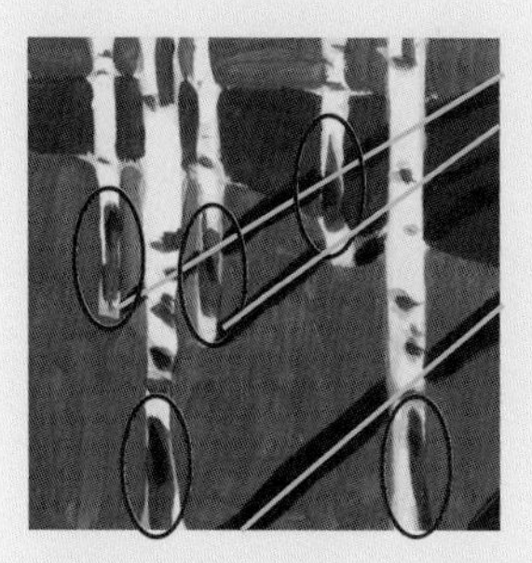

重复出现的是树木的廓形、树上的疤结和影子。

转移绘画

如果你不习惯用画笔来画出最初的轮廓（本书中每一个作品都使用这种方法），则可以选择在动笔前将图像直接转移到画布之上的方法。有三种不同的方式：使用铅笔、使用网格或者使用投影设备。

	铅笔	**网格**	**投影设备**
优点	操作方便 准确	容易获得精确的图像，而又能避免对画布或底板造成破坏	容易在帆布上获取精准的线条和图像的位置
缺点	可能会毁坏原始图像 会在纸张或底板上留下轻微的痕迹	耗时 会毁坏原始图像	扫描设备昂贵，并且需要具备一些专业的操作技能

使用铅笔

1 用铅笔在画面背面进行涂画。当然你可以选择从商店中购买石墨纸，并且将它夹在画作和支撑物之间。

2 将绘画作品正面朝上，放在底板上面并沿着轮廓进行描线。这样一来，铅笔痕迹就可以转移到底板上，留下绘画作品的轮廓线。

1

2

使用网格

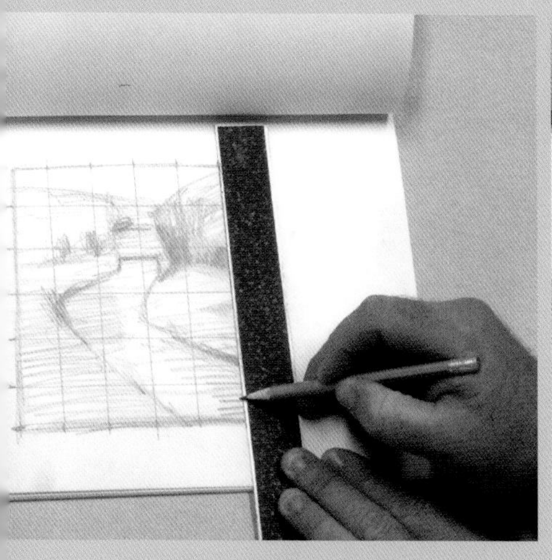

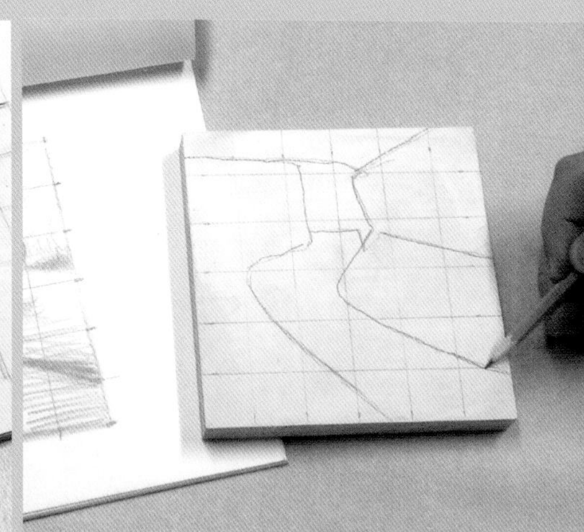

1 在原始图像上轻微地描绘出一个网格，然后在背板上用同样数量的方块来绘制出网格。

2 如果不想在原始素描图或者图像上进行绘画，可以选择在一块玻璃上，或者原始素描图的上方空白处，用黑色的记号笔进行网格的绘制。

3 然后仔细地复制每一个方块，从而与原始图像上的方块内容保持一致。

使用投影设备

使用透明或者数字化的投影设备将绘画内容投影到画布上，并轻轻地描绘出线条。有一点需要确保的是，你的绘画背板要正好保持90度的直角垂直，从而避免作品歪斜或扭曲变形。

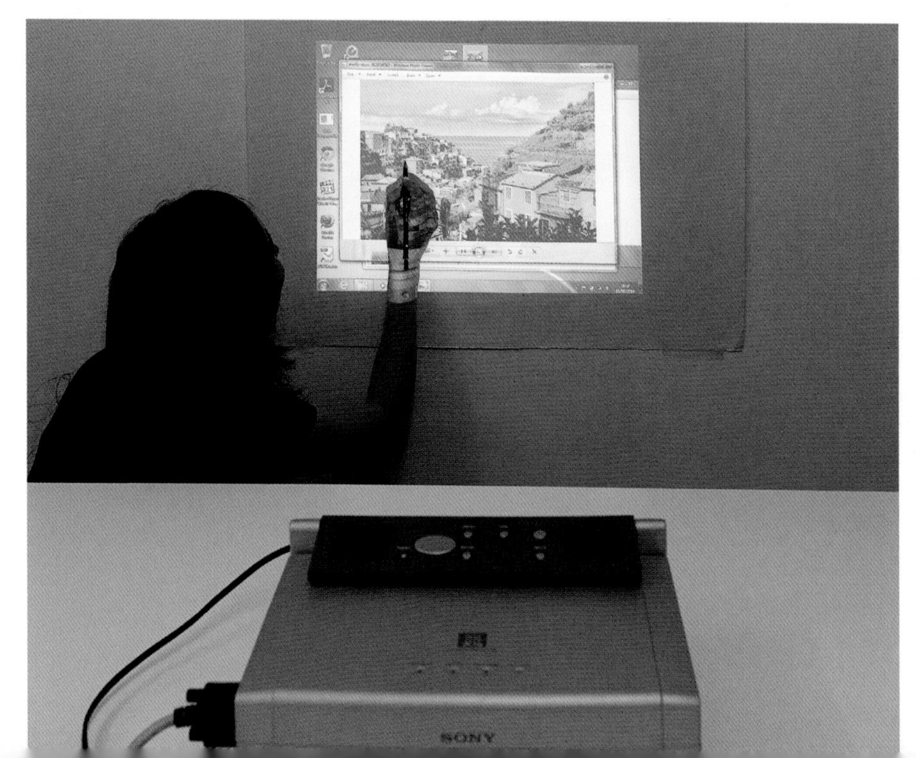

作品展示

跟随着书中一个个案例的学习，你的水平逐渐提高，同时你还会发现那些已经完成的绘画作品可以以特殊的分组方式展示出来的。

保持其大小尺寸的一致，这些绘画作品在展示的同时会表现出一种彼此协调的内在相似性。因此，需要花一些时间来探讨作品之间那些非常规的关系，并且以一种有趣和出乎人们意料的组合方式来对它们进行安排。接下来是一些关于安排作品展示的建议，以及一些如何将这些作品挂到墙上的方法。

装裱

如果选择在那些因为未装裱而无法进行展示的物体表面进行创作，例如纸张或者未延展的画布，那么就需要考虑使用衬边或者框架，抑或结合两者。

衬边

对于纸张上的绘画，需要将其与玻璃分离。衬边提供了这样一个功能，并且可以扩大作品周围的空白区域。常规的做法是，顶边和两侧边的留出量相等，而底边留出量多1.2厘米左右。这样从视觉上来看，四条边才是相等的。确保使用的是无酸板面；颜色选用浅色、中性明暗度的色彩，可以考虑使用经典的乳白色；同时避免使用那些会盖过作品色彩的非常规用色。

框架

如果想让你的作品以立体的方法来展示，可以选用常规的框架。大多数的艺术品供应商店都能提供可供选择的各种框架，一些商店甚至还可以提供装裱服务。总的来说，小巧而又简单的绘画作品装在简单的框架中会比较好看一些；而那些华丽而过度装饰的框架会分散人们对于作品本身的注意力，并且通常花费更多。如果附近没有艺术品供应商店或者专门的装裱行，那么在线的供应商们可以提供大量的框架设计产品和服务。如果同时购买很多不同的框架，还可以从商家那里获得较大的折扣。

陈列主题

虽然随机陈列绘画作品会更容易让人接受，但也可以根据特定的主题来对绘画作品进行安排。这里有一些关于颜色、形状和物体的建议。

细长的衬边可以使绘画作品显得现代而较为明亮。

中等规格的衬边不会分散作品的吸引力。

带有偏离中心的宽大衬边，能够让观众聚焦于绘画作品。

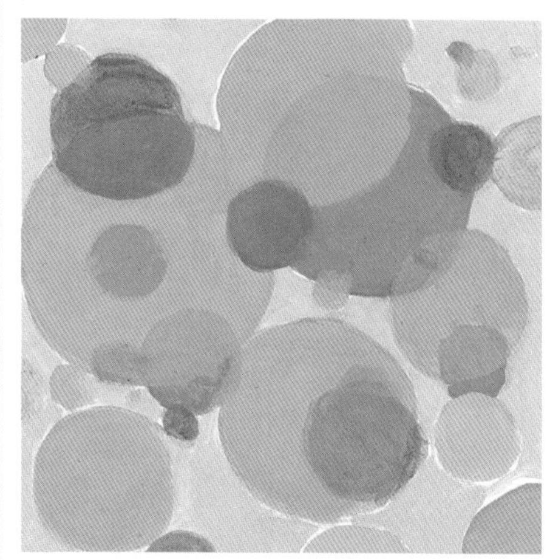

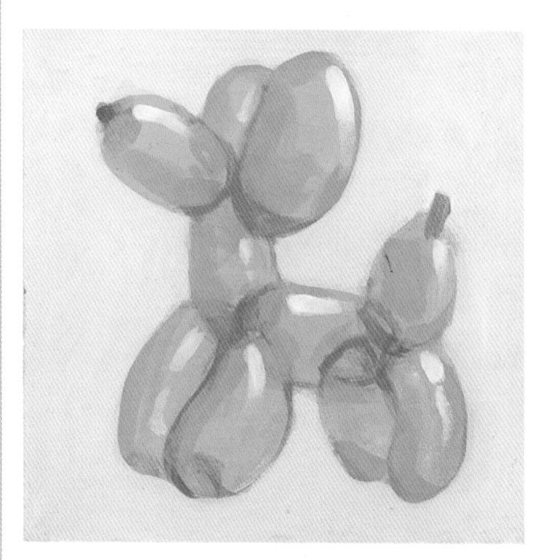

颜色

通过寻找类似的颜色主题，来获取一个具有统一性的作品集群。因此可以安排一组红色主题的作品，抑或者是使用上述的类似蓝色、绿色和黄色的色彩主题。

形状

想要获得出乎人们意料的作品组合，就需要寻找一些重复的或者是相似的形状。比如寻找圆形的对称型作品组合或者方形的作品组合。

主题

根据主题对绘画作品进行分类。例如本书中所重复的关于船只、树木、物体和动物等主题。

作品展示

陈列布局

因为绘画作品是以分组的形式进行陈列展示，因此需要根据特定的模式来对作品进行排列。

采用没有框架的形式来陈列绘画作品，会让作品整体表现得自然一些。

直线

保持作品之间同等的距离，并且以同样的高度来对作品进行简单陈列，这样可以让作品显得具有连贯性。但是让所有的作品保持完美的成行，却不是一件容易的事情，因此在悬挂它们的时候，需要不时地检查调整。

网格

以2×2、3×3、4×4等类似的网状方式来悬挂作品。如果按照网状结构来悬挂作品，那么就可以轻易地在一块很小的空间陈列大量的作品。因为本书中的绘画作品都十分小巧，因此可以轻易地用网状的方式将这些大量的绘画作品陈列出来。此外，还需要准确地测量挂钩或者钉子的参数，从而保证作品的陈列能做到横平竖直。

随机

对作品进行随意的安排会让作品组合少了一些正式感，当然也可能显得更加具有创造性。这样的方法，特别适用于咖啡屋、工作室等一些休闲场所中。

将作品挂到墙上

在决定了作品的陈列主题和布局之后，可以参考以下各种关于如何将作品挂到墙上的硬件备选方案。

用朴实的画框进行陈列，不会破坏艺术作品。

1 画布和图钉

有一种简单的展示方法是将所有的作品绘制在小块的延伸画布上，并且将脚蹬架悬挂在钉子上面。

2 锁眼

如果是在木板或者中密度纤维板上进行的创作，并且有一个铣削台的话，可以快速地在底板背面切割出一个锁眼。在这个过程中，需要竖立起台面以确保所有的切割都在同样的位置，然后再将作品悬挂在同等高度的钉子上。

3 D形环

如果是在中密度纤维板、木头或者胶合板上进行创作的，那么需要在底板的背面拧上一个D形环，然后再将作品挂在钉子上。

4 展示线

添加两个D形环，在它们之间缠绕一根悬挂作品的线，然后挂到钉子上或者挂钩上。

1

2

3

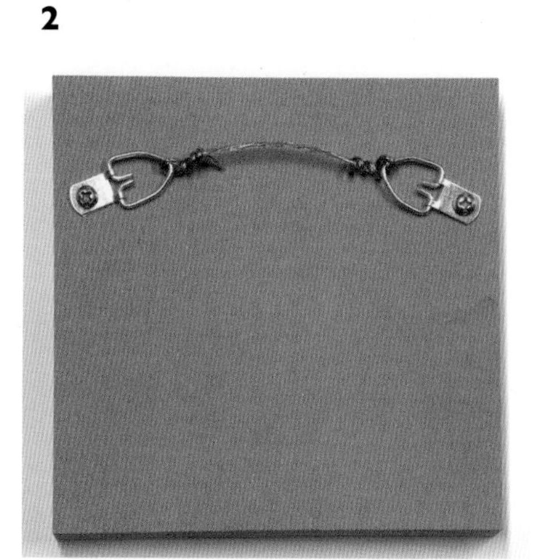

4

WINSOR & NEWTON
GALERIA
Winsor Blue

第二章

了解丙烯

本章节中，你将通过一系列的进阶式的案例学习，了解丙烯绘画所需的基础技法。从基本的绘画练习开始，逐渐地在每一个新案例中加入新的技能练习，等到本章结束，你就已经了解和掌握了丙烯绘画的基本技能。

1 基础绘画：新月初生

材料

- 白纸、画布或者涂有底料的成品丙烯画布
- 8号圆头画笔
- 调色板
- 水
- 丙烯颜料媒介剂

颜料

- 钛白
- 马尔斯黑

也试试这些吧

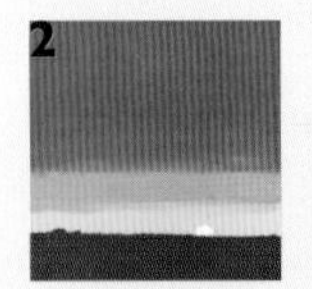

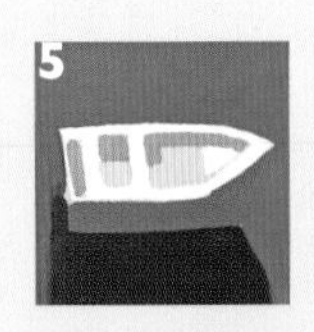

在本书中的最基础案例部分，你将仅仅使用钛白和马尔斯黑两种颜料，来画一幅非常简单的风景画。如果你从来没有画过丙烯画，那么现在就可以很好地体验一下丙烯颜料的浓度和调和的特色。在调色板上，试着将不同的颜色调一调，看看颜料的互溶效果。绘画时，试着用不同的力度来画。同时，注意观察颜料的干燥时间和绘画效果。

1 在调色板上，尝试将钛白和马尔斯黑这两种颜料混合，调成灰色。由于黑色的遮盖力要高于白色，因此同比例的黑色和白色混合后，调成的颜色是深灰色。调好深灰色后，将颜料涂于整个底面。

2 干燥5分钟，让底层干透。同时，清洗、干燥笔刷。用马尔斯黑，画出远山的轮廓，这层颜色要上得尽量覆盖住底色。轮廓的上下边线，也尽可能地画得干脆、利落些。

3　在山峰的上部，用钛白画一个小圆，即为月亮。可能需要涂2～3次，白色才能完全覆盖上去。每涂一次，都等几分钟，让前一次的颜料干燥。

4　最后用钛白画出水面上的月亮倒影。用多条短促的水平划线，画出水面涟漪效果。

5 再调一次灰色，并尽量使其与第一步中所调出的灰色接近些。天空和水面之处，用这种灰色再涂一次，并尽量覆盖住底色。同时，在月亮和山峦的边缘处，也重新勾画一下。

如果你觉得在调色和上色方面，还需要多练习的话，可以挪动一下月亮的位置，再多画一次。

2 色彩运用：日出

材料

- 白纸、画布或者涂有底料的成品丙烯画布
- 8号圆头画笔
- 调色板
- 水
- 丙烯颜料媒介剂

颜料

- 浅镉黄
- 镉橘
- 中镉红
- 马尔斯黑
- 钛白

也试试这些吧

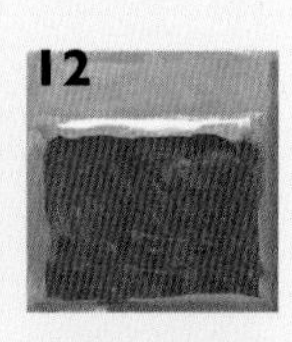

许多人都十分欣赏日出之美，所以很多年来艺术家们一直都将日出作为画作的主题，就一点都不奇怪了。在这幅简单的案例中，你不需要调任何色彩，而是将颜料从管中挤出来，直接使用即可。首先使用浅镉黄，因为它的透明度最高。接着使用镉橘和中镉红，最后使用马尔斯黑和钛白。

1 用饱满的浅镉黄，画一条非常宽的水平色带。因为待会儿上面还要覆盖其他颜色，所以其位置不需要太精确，只要与本图中的位置大致相似就可以了。

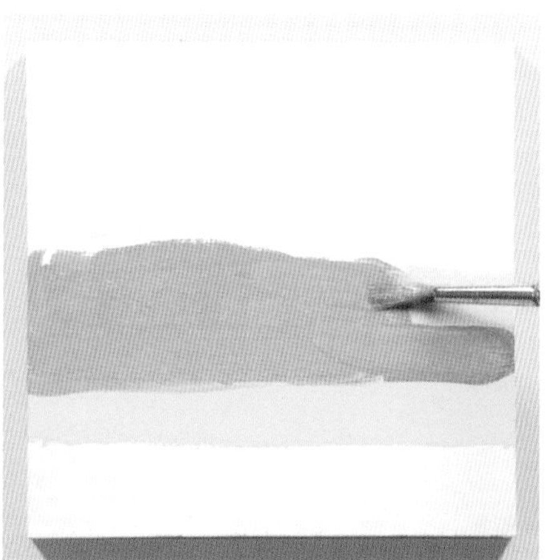

2 数分钟后，待黄色完全干透，在上面用饱满的镉橘画一条类似的宽色带。用水平笔触画出类似云朵的效果。

3 待干后，在画面上部的所剩之处，用饱满的中镉红涂绘。由于颜料质量的差异，有时候你可能要在一层颜料干后，再涂一层，才能使颜料完全覆盖画面。

4 用饱满的马尔斯黑，画出前景轮廓。在地平线位置，有意突出数个凸起部位，使其看似远处的树木和丛林。放置10分钟后，使其干透，然后开始下一步。

5 拿一支干净的、没有蘸上颜料的笔，蘸一点点钛白，在地平线位置轻轻地画一下，画出初升的太阳。待数分钟干燥后，再添画一下，使白色完全覆盖。

不用调色，而直接使用管中的颜料作画，可以降低绘画的难度。

3 基础色彩混合：牧场风景

材 料

- 白纸、画布或者涂有底料的成品丙烯画布
- 8号圆头画笔
- 调色板
- 水
- 丙烯颜料媒介剂

颜 料

- 土黄
- 原色钛
- 群青
- 浅镉黄
- 马尔斯黑
- 钛白

也试试这些吧

虽然专门的美术用品商店中，有调好的各种各样的颜料可售，但是，学习用几种基本色彩来调和出自己所需的颜色，还是非常明智的。这样不仅可以调出一些在店里买不到的特别色彩，还可以让作品的色彩更加协调一致。在本案例中，你将学习调配几种近似色：黄色、绿色和蓝色。在调色板上尽量将各种颜色完全调和，然后直接涂于画面上。

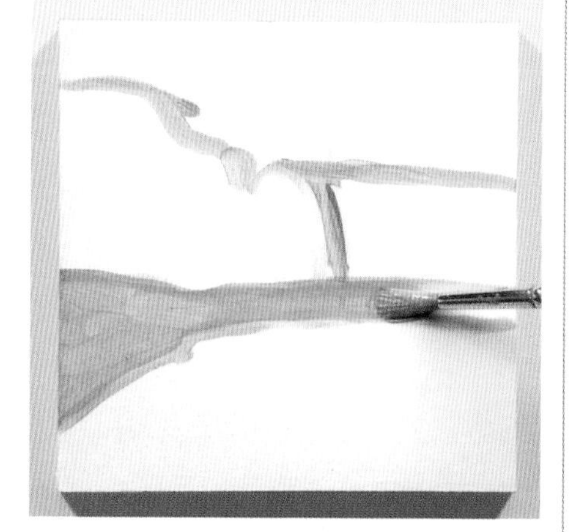

1 用土黄随意地勾画出树林和牧场的大致线条。中间部分用土黄全部涂满，可能需要涂两层，以使颜色完全覆盖。

2 在第一步中所用的土黄中加入一些钛白，混合后涂在前景部分。混合颜料时，可能需要多试几次，但是也别灰心丧气，多多练习，就能准确地调出颜色了。

3 用群青、浅镉黄调和成绿色，来画树林。用不同的黄色和蓝色，可以调出你想要的各种绿色。然后在绿色中加入一点点原色钛，来画出右侧远景处的树林。

4 在马尔斯黑中加入浅镉黄调和，画出树林的阴影面。用黑色和黄色也可以调出绿色。这种绿色，会比用蓝色和黄色调出的绿色，更加浓郁，更具遮盖性，特别适合画树林的阴影。

5 在钛白中加入一点点群青，用来画天空。让其干燥15分钟后，最后用钛白画天空中的云彩。要使白色完全覆盖于蓝色之上，通常需要涂2～3次。

学习准确地调色，虽然需要多次的实践，却是很值得的。在本书后面的每一个案例中，你都将实践调色这一重要技巧。

4 简单的色彩渐变：深蓝色的大海

材料

- 白纸、画布或者涂有底料的成品丙烯画布
- 10号圆头画笔
- 调色板
- 水
- 丙烯颜料媒介剂

颜料

- 土黄
- 原色钛
- 浅蓝
- 钛白
- 钴蓝

也试试这些吧

7

9
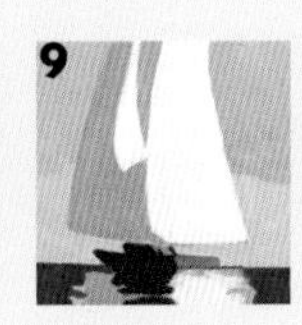
23

29
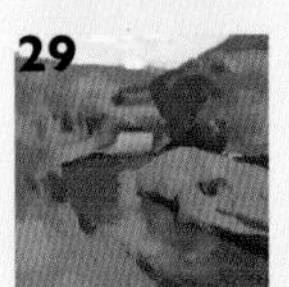
31

39

在大面积的范围内，画出均匀的渐变，是学画丙烯画的难点之一。因为丙烯颜料干燥快（相对于干燥较慢的油画颜料而言），平滑过渡比较困难。在画渐变时，以下几点需要牢记在心：加入新一种颜色时，笔刷的力度一定要轻；画渐变时，在第一种色彩上加盖第二种色彩时，量一定要少；使用柔软的笔刷，因为过硬的笔刷会在表面留下划痕，难以表现平滑的渐变效果。

1 用土黄和原色钛混合，勾出海洋和沙滩的基本轮廓线条。画出顶部的水平直线，来表现地平线。而底部的曲线，则代表海水与沙滩的相交处。

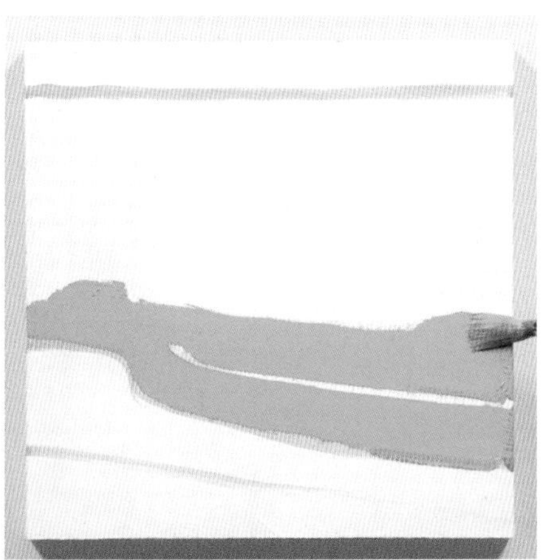

2 渐变涂色。在钛白中加入浅蓝，画出最靠近沙滩部分的海水，留出一条窄窄的空白之处，来表现沙滩附近的波浪。在颜料快干之前，快速进入到第三步。

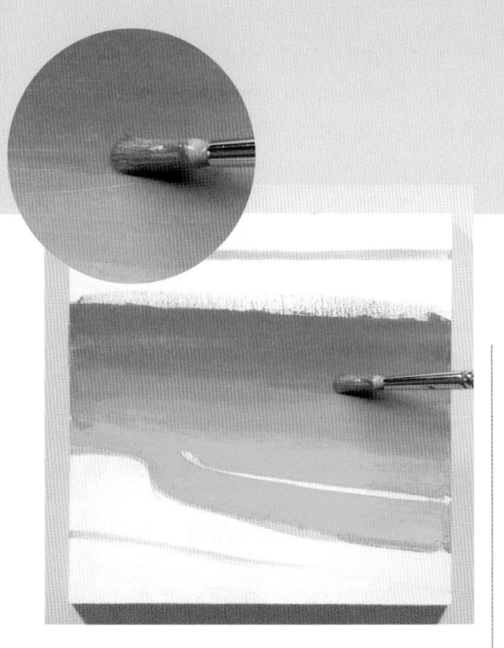

3 在第二步所调的颜料中，加入少量钴蓝，画出蓝色的海水。运用从下至上、水平方向横涂的方式（制造水中波浪的类似效果）。颜料中再加入一些钴蓝，加深色彩，一直持续画到地平线位置。

4 采用同样的方式，画完整个渐变区域。地平线位置的颜色，应该逐渐加深至完全为钴蓝。如果渐变过渡效果不是十分理想，可以待这层颜料完全干透后，按照第二步到第四步的过程，重新画一次，直到获得满意的效果（记住，这个的确需要多多实践）。

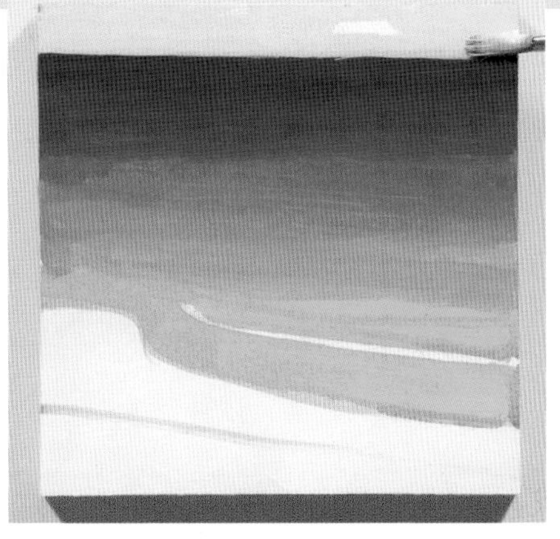

5 最后用浅蓝和钛白调和后，涂在天空区域。留出一些空白之处，以表现地平线上的云彩。单独使用原色钛画出沙滩。沙滩与海水的分界线要画得清晰明了。

要想画出让自己满意的、很平滑的渐变效果，这个练习你可能要多画几次。坚持吧！多多练习的话，就不难了。

5 利用画布留白：划艇

使用丙烯颜料时，单层涂色是很难使颜料完全覆盖的。这是因为某些色彩的颜料分量（参见16～19页丙烯颜料）较低，导致了色彩的半透明。解决的方式之一，是直接利用纸张、画布或者画板（这里指白色画板），而不是重新涂层上色。这种方法虽然需要事先规划好，但是如果你提前已经知道哪些地方该是白色，就可以直接将这些部位空出来。

材料

- 白纸、画布或者涂有底料的成品丙烯画布
- 10号圆头画笔
- 调色板
- 水
- 丙烯颜料媒介剂

颜料

- 土黄
- 马尔斯黑
- 钛白
- 原色钛
- 浅镉黄
- 钴蓝

也试试这些吧

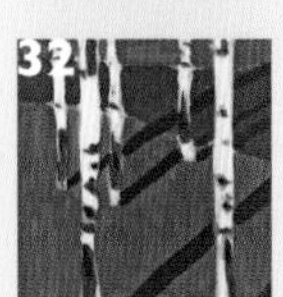

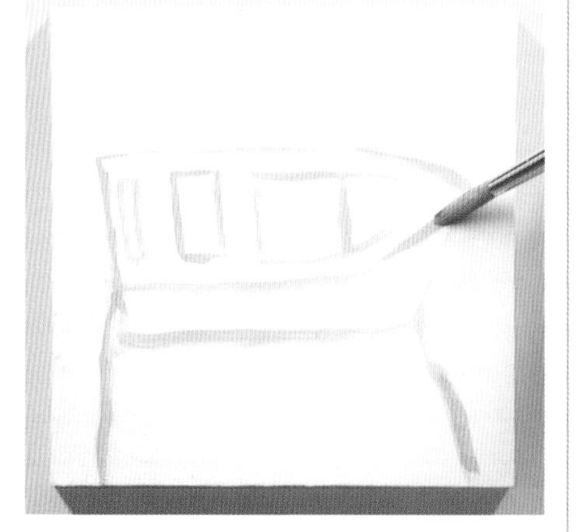

1 用土黄画出船体的线条，以及其在水中的倒影。线条的位置要相当精确，这样在最后你就不需要再用白色来重新修饰加工了。放置几分钟，让线条干透。

2 在船体的下部，用饱满的马尔斯黑画出其在水中的倒影。笔刷涂绘的力度由重逐渐到轻。调色板中留一些黑色颜料，在接下来的步骤中待用。

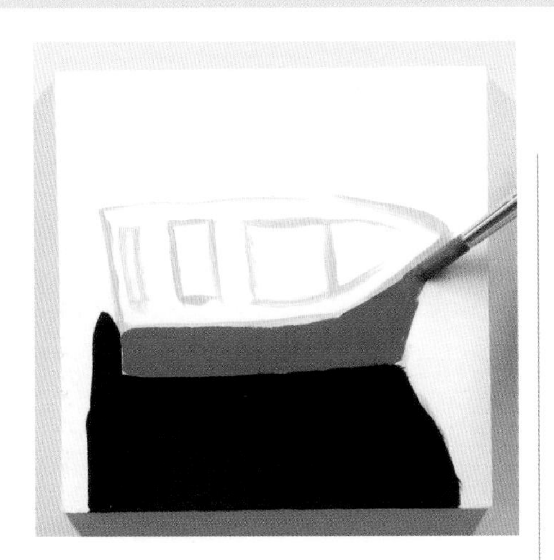

3 在第二步所用的黑色颜料中，加入钛白调和成灰色，用来画船体的侧边。灰色和白色的交界处，边缘线要干净明了，这样就不用再次涂色修改了。剩下的颜料，留待第四步使用。

4 在第三步所用的灰色颜料中，再加入一些原色钛，用来画船体内侧的阴影面。注意不要涂到本要留白的地方。

5 船底颜色，使用浅镉黄加原色钛调和而成。然后在钴蓝中加入少量马尔斯黑和钛白，调成水的蓝色，沿着船体边缘，将水的区域全部涂满。

如果你所使用的颜色，无法覆盖在另一种颜色上，你就试着将它先涂为底色，然后再在其外部画上另一种颜色。

6 基础上光：面包与黄油

了解颜料的最有效方法，就是画一些简单的主题。外形几乎为方形的面包片，便是很好的例子。本案例中，将介绍上光的技巧，即如何在已经完全干透的底面上，再涂上一层薄薄的透明颜料。关键点是在颜料中加入一点丙烯颜料媒介剂，这样才可以在已经干透的颜色上涂上一层透明层。

材料

- 白纸、画布或者涂有底料的成品丙烯画布
- 10号圆头画笔
- 调色板
- 水
- 丙烯颜料媒介剂

颜料

- 原色钛
- 土黄
- 赭石
- 钛白
- 马尔斯黑
- 浅镉黄

也试试这些吧

5

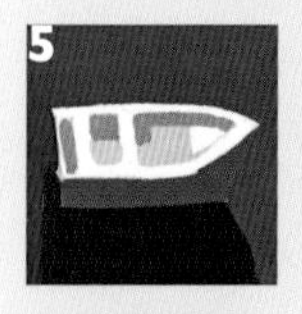

10

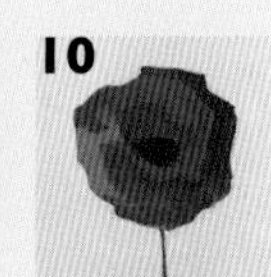

12

14

18

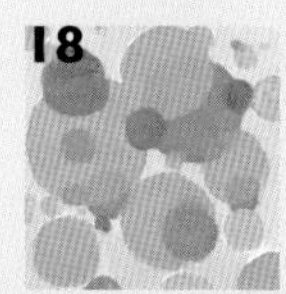

34

1 在纸、画布或者画板上用原色钛先刷上一层。待其完全干透后，用土黄画出面包片的轮廓线条。

2 在第一步中所画的轮廓线条外面，用赭石勾出面包片的外皮。注意要有意露出一些下层的土黄，这样看起来更像真正的面包片。面包片底部的线条画得粗一些，以体现厚度。

3 在钛白中加入少量马尔斯黑，用混合好的颜色在面包片的中间画一个淡淡的灰色阴影（形状似一个反向的字母L）。接着，用饱满的浅镉黄画一块正方形的黄油。待颜料干透。

4 颜料全干后，在丙烯颜料媒介剂中加入一点点钛白，调好后，将其刷在面包片上，包括黄油和阴影部位全部刷上这样的透明颜色。

5 在第四步所调的透明颜料中，再多加一点钛白，然后在面包片上再涂一层。注意，靠近面包外皮的地方留出一些，不要完全涂满。在赭石中加入很少量的马尔斯黑，调好后涂在面包外皮的阴影部位。最后用原色钛将整个背景刷满，并清理多余的笔触。

在干颜料上上光，最重要的是控制好所加颜料的量。在本书的后面部分，我们还将多次讲到上光和层刷。

7 关于明度：雾中山峦

材料

- 白纸、画布或者涂有底料的成品丙烯画布
- 10号圆头画笔
- 调色板
- 水
- 丙烯颜料媒介剂

颜料

- 群青
- 马尔斯黑
- 赭石
- 原色钛
- 钛白

也试试这些吧

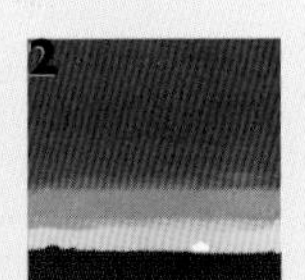

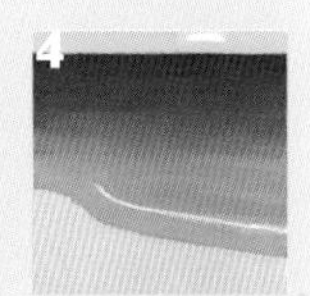

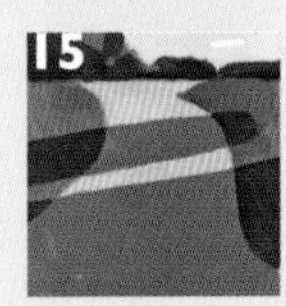

绘画中的“明度”是指色彩的深浅（与之对应的另一个概念“色相”，则是指色彩的名称，比如“红色”或者“蓝色”）。明度值越低越接近于白色，明度值越高越接近于黑色。中间值明度则是介于白色和黑色之间。本书中，将明度分为五级，分别为低、中低、中、中高、高。当画面所用色彩极少时，明度这一概念，将十分有利于画者更好地构思和组织各种复杂的素材。

1 将群青、马尔斯黑以及一点点赭石（以避免调和色过于冷色调）调和成低明度色，画出前景中的森林。简单地画出树木的形态即可，而不必表现出每一棵树的枝干细节。

2 在第一步中所调好的颜色中，再加入一些原色钛和群青，调成中低明度色调，画出中景处的山峦。注意，随着距离渐远，山峰的颜色也逐渐变浅。

3 再在已调好的颜料中加入一些原色钛，画出远处的山峰，采用中明度。为了体现出画面的远近效果，越远处的山峰，其廓形也越来越平滑。

4 再一次加入一些原色钛，调成中高明度，画出更远处的山峰。这次所画的山峰廓形，几乎是水平直线。构思中，需要在脑子牢记的是，随着山峰距离的远离，观者与山峰之间的空间越大，空间距离的拉大使明度变得更加浅淡。

5 颜料中加入原色钛调和，画出最远处、呈水平线的山峰。用钛白和原色钛调和，画出最远处的天空。最后对边缘、色彩和明度进行一些必要的修饰。

降低画作中明度等级的划分，可以简化复杂的素材组成。其他明度案例也可以参见第26个案例（参见88~89页）。

8 理解光、影、面：硬纸盒

材料

- 白纸、画布或者涂有底料的成品丙烯画布
- 8号圆头画笔
- 调色板
- 水
- 丙烯颜料媒介剂

颜料

- 原色钛
- 土黄
- 赭石
- 铬橘

也试试这些吧

6

10

14

36

37
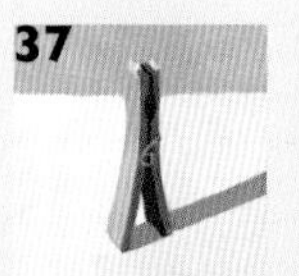
38

为了能够在一个二维平面上体现三维空间物体，必须先了解光和影如何反映于物体表面。为了说明此概念，我们先画一个相对简单的物体：一个硬纸盒。硬纸盒是一个基本的正方体，而每个表面也无需再绘制任何复杂的图形。你只需要画出一个立方体，再将每个面平涂即可。尽可能地画得简单一些，所用的色彩也都是明显的棕、褐色调。

1 开始时，在整张纸、画布或者画面上，用原色钛薄薄地刷一层。待干后，用土黄勾绘出立方体的外形轮廓。在立方体后面添加水平线条，以画出桌面的边线。

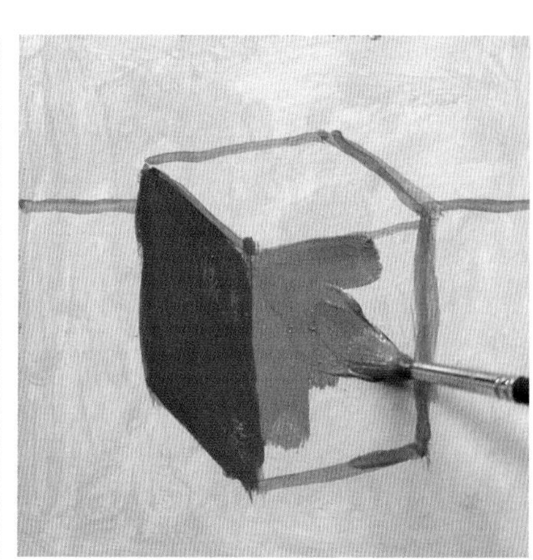

2 将赭石和原色钛混合，平涂在盒子的左侧面。左侧面是盒子的阴影面，因此是三个可见面中色调最深的。接着，在颜料中再加入一些原色钛混合，涂满整个右侧面。

3 现在要画盒子的顶面，也就是受光最多的一面。在颜料中再次加入原色钛混合，让其色调比其他两个面都浅一些。在这一步涂色时，注意要将原本的轮廓线条全部遮盖住。

4 直接用赭石勾出盒子的边线和明暗分界线。盒子底部的线条画得稍微粗一些，以体现阴影效果。在盒子顶面和左侧面的交界线处，将线条稍微向右侧进一些，这样就可以画出盒盖。

5 待画面干燥10分钟。将赭石、原色钛和少许镉橘混合后，用8号圆头画笔将其涂于背景。用钛白和原色钛调和，涂于桌面。

按照书中的案例步骤来画，并牢记一个简单的法则：物体的面，离光源越远，其颜色越深。

9 简单的倒影：帆船

对水面倒影效果的描绘，是每一位画家都需要学习的实用技巧。在画面上，倒影效果的准确呈现常常让观众处于迷惑和疑问之中："究竟是怎么画出来的呢？"本案例将解读简单倒影的基本要素。而在本书的后面部分，你将会碰到更具有挑战性的复杂案例。想要画出反射效果，必须牢记一点，水可以倒映出水面上的色彩和形状。

材料

- 白纸、画布或者涂有底料的成品丙烯画布
- 8号圆头画笔
- 调色板
- 水
- 丙烯颜料媒介剂

颜料

- 原色钛
- 土黄
- 马尔斯黑
- 天蓝
- 赭石
- 钴蓝
- 钛白

也试试这些吧

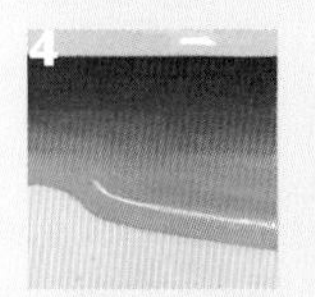

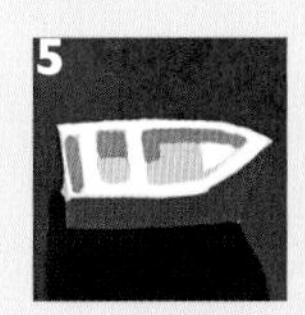

1 用原色钛和土黄调和，勾出帆船的基本轮廓线条、水面、倒影。这一步骤中，使用暖色，以平衡后续步骤中所使用的较冷色调。

2 在原色钛中加入少量马尔斯黑，用于船帆暗面。在船帆的左侧，以及其水面正下方的对应反射位置涂色。

3 使用天蓝和原色钛混合，绘出落在水平面上的远处的云彩。使用同色，轻轻画出数条短线，以体现其水中的倒影效果。云彩上部的天空，则使用天蓝和钛白混合而成，同时也将其涂在反射区域的外边缘位置。

4 船体的阴影面，使用赭石，以平衡冷色调的蓝色和灰色。使用短促的非连续画线，体现水中的波浪。

5 最后在整幅画作的两侧边，涂上钴蓝。这一步将加深海水的群青色调。船帆的白色部分用钛白涂色。

对水面倒影效果的刻画，是一个极其明确，且直截了当的工作。牢记，画物体的倒影效果，要使用物体原有的颜色。

10 调浅与加深：红罂粟

材料

- 白纸、画布或者涂有底料的成品丙烯画布
- 10号圆头画笔
- 调色板
- 水
- 丙烯颜料媒介剂

颜料

- 中镉红
- 马尔斯黑
- 钛白
- 浅镉黄
- 原色钛

也试试这些吧

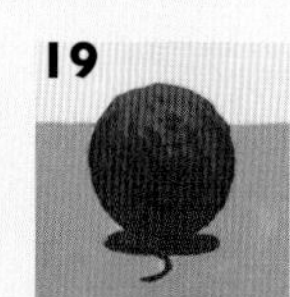

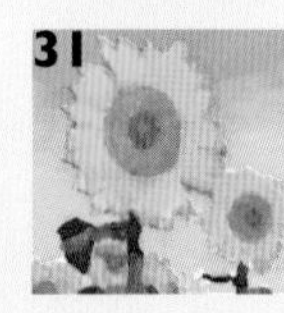

在色彩语言体系中，“调浅”一词是指将一种色彩调得浅淡一些，一般通过加入白色而成。而“加深”，则是指通过加入黑色等手段，使得色彩更深。当然也可以通过加入其他颜色，来达到调浅和加深的效果（比如用群青代替黑色来加深）。为简化起见，本案例中只是中镉红这一种颜色的调浅与加深。在书中后面的案例中，你将还有机会体验其他颜色的调浅与加深技巧。

1 用中镉红勾出罂粟花，以及花梗的基础轮廓线条。除花心中间以外，花朵部分全部用中镉红涂满。然后让其干燥至少5分钟，或者直到表面全干。

2 在中镉红中加入非常少量的马尔斯黑，以体现花朵暗部的细微色彩变化。用此颜色画好右侧花瓣后，再调入一点点马尔斯黑，画右上侧的花瓣。

3 再调入一点马尔斯黑，使其调和成仅仅带有一点点红色的近似黑色。画花心部分，并在花瓣部位强调数笔即可。到目前为止，你已经在此案例绘画中，使用了“加深”技巧。

4 将笔刷洗干净，晾至完全干透，以便可以重新调和新的颜料。在中镉红中加入非常少量的钛白，将颜色调浅，画罂粟花的左侧花瓣部分。调和浅镉黄和马尔斯黑，画花柄部分。

5 待第四步完成干透后，用原色钛和钛白调和颜料，刷满这个背景。最后用几乎完全透明的中镉红给罂粟花上光，以进一步统一色调。

用白色和黑色来调浅与加深，是实现光影效果的常用方法。

11 画负空间：红鞋子

材料

- 白纸、画布或者涂有底料的成品丙烯画布
- 8号圆头画笔
- 调色板
- 水
- 丙烯颜料媒介剂

颜料

- 中镉红
- 马尔斯黑
- 钛白

也试试这些吧

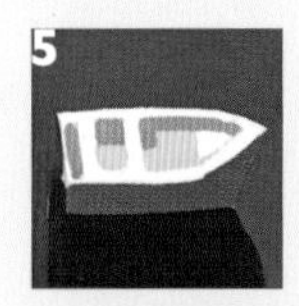

在绘画领域，“负空间”这一概念，是指围绕一个物体的外部区域（即通常所说的背景）。由于颜料本身比较稀薄，所以用丙烯颜料画一些小的、非透明的细部会比较困难。因此，通常是先在画面上涂一层物体的颜色为底色，然后再用其他颜色围绕物体涂绘背景。本案例中，针对红色鞋子的细长高跟，如果用丙烯颜料直接单层涂绘，会非常困难。而用背景涂绘的方法，就很容易绘制出一条漂亮的细长线条。

1 开始时不要勾出鞋子的外形，而是用丙烯颜料在画布或画板上平涂上一层非透明的中镉红。然后让其干燥5分钟。

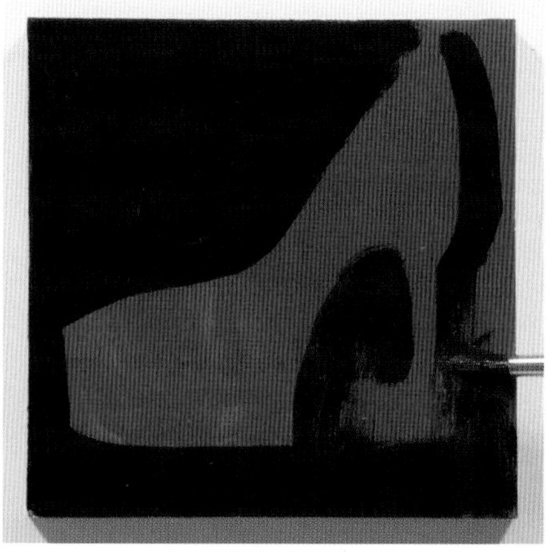

2 用中镉红混合马尔斯黑，调和成红黑色，用作背景色。通过涂背景的方式，画出鞋子的外形。如果画起来没有那么得心应手的话，可以先用铅笔勾出鞋子外形轮廓，然后再在外形轮廓线外面涂上背景色。

3 用一点钛白，点出高光，让鞋子看起来比较有光泽感。在每一个高光部位内部，再用钛白点一下，让其边缘更加清晰明显一些。

4 就像用涂背景的方式勾画鞋子一样。你也可以再使用中镉红，将高光部分勾得更加精细一些。因为单单用白色颜料画细长的线条，是一件十分困难的事情。用中镉红再画一条红色线条，以示鞋子的另一侧边。

5 用中镉红和多一些的马尔斯黑重新调出一种更黑的红色，再涂一次背景，不过要留出鞋子下面的反光部位。然后再在已调和的红色中，加入一点黑色，画出鞋子底部的阴影部分。

与其他颜料相比，使用丙烯有许多好处，但“颜色透明”却不是它的优点。通过背景勾画的方法，来画一些小的细节，将会省去不少的繁琐步骤。

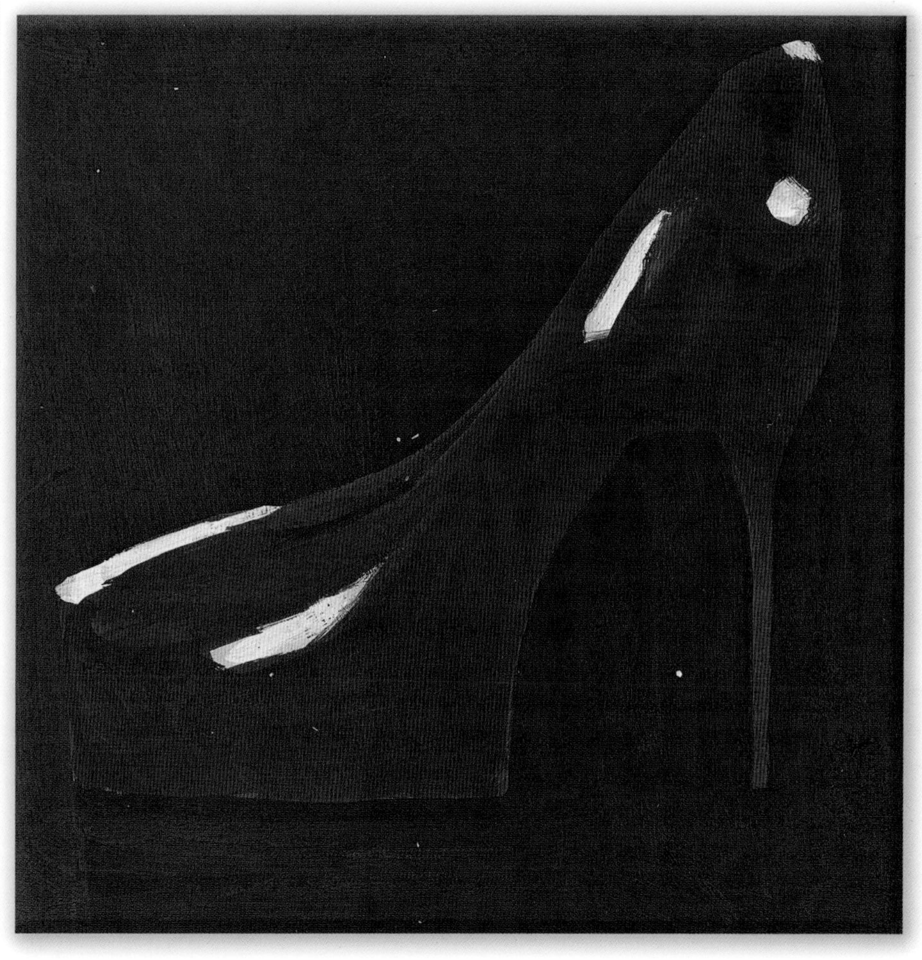

12 肌理层涂：色块抽象画

材料

- 白纸、画布或者涂有底料的成品丙烯画布
- 4号榛形画笔
- 调色板
- 水
- 丙烯颜料媒介剂

颜料

- 天蓝
- 钛白
- 中镉红
- 土黄

也试试这些吧

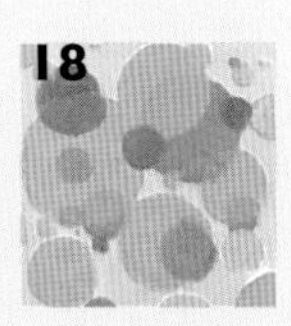

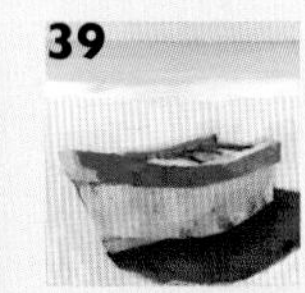

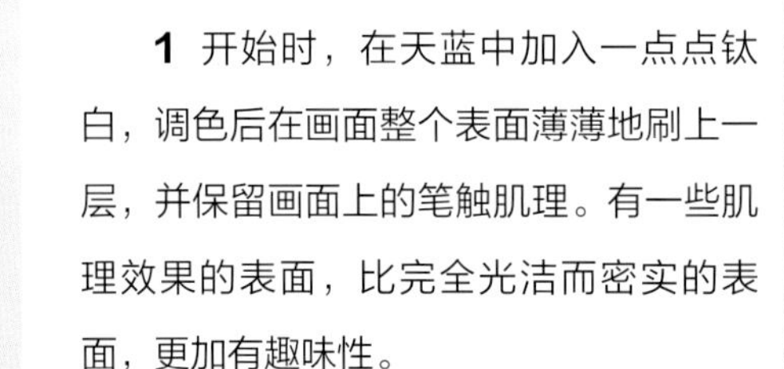

色块绘画是20世纪中期，兴起于纽约的一种绘画风格。这种艺术风格的先驱们，使用大面积的、平面色块的绘画方式影响了几代艺术家。创作你自己的色块画，其实相当的简单明了。先定一个底色，然后将画面有比例地进行分割，再用半透明的颜料涂出简单的矩形。由于这种画作其中的元素非常之少，因此要尽量让每一个细节元素都具有吸引力。

1 开始时，在天蓝中加入一点点钛白，调色后在画面整个表面薄薄地刷上一层，并保留画面上的笔触肌理。有一些肌理效果的表面，比完全光洁而密实的表面，更加有趣味性。

2 用钛白画一条穿过整个画面的、饱满的水平线。注意这条线的位置，不要让其处于画面的中心部位，这样整个构图会过于均衡、饱满。最好在画面的1/4或者1/3位置。

3 在第一步已经混合好的颜料（天蓝加钛白）中，加入一点点的中镉红。然后再加入一些丙烯颜料媒介剂，将其稀释，以便涂绘。混合后的颜料，涂于第一步的蓝色底色上，并有意露出些许底色。

4 待表面干后，在白色线条的上部，用土黄加少许钛白混合成的半透明颜料，大致地涂出一个矩形。如第三步中涂画方法一样，不要全部盖满，而是有意露出些许底色，创造出更有趣味性的肌理效果。

5 最后的图形，画在白色线条的下部。用中镉红中加入丙烯颜料媒介剂调和而成的色彩涂画而成，并让底层颜色透出少许。最后在中镉红中加入少许钛白，于画面四周画出边框线。

在这个主题绘画中，你可以通过改变色彩和图形，来尝试各种各样的组合方式。想要获得更多的灵感，可以对色块画和抽象派艺术家作进一步的了解。

13 暖色上涂盖冷色：谷仓与牧场

材料

- 白纸、画布或者涂有底料的成品丙烯画布
- 10号圆头画笔
- 调色板
- 水
- 丙烯颜料媒介剂

颜料

- 土黄
- 浅镉红
- 赭石
- 原色钛
- 马尔斯黑
- 浅镉黄
- 群青
- 钛白

也试试这些吧

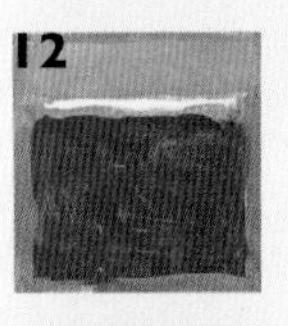

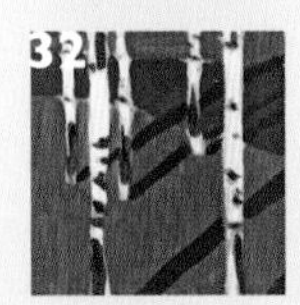

画室外主题时，我们常常发现这些室外色彩几乎都是冷色调的：蓝天、白云、青草、绿树等等。如果你直接将自然界的这些色彩拿来的话，那么最后完成的画作可能色彩都很类似，且非常乏味。一种解决这个问题的方法是，用暖调的大地色系（土黄、赭石）先上一层底色，让这些暖色调从偏冷的蓝色系和绿色系中透出一些来。

1 用土黄色勾画出形状：前景中的大牧场、地平线附近的大地、远处在树林映衬之下的谷仓，从而起到暖色调打底的作用。放置5分钟，再开始下一步骤。

2 谷仓的正面用浅镉红，并用赭石画出谷仓的侧面，以及其周围的树木。在这一步骤中，所有的形都用暖色来画。接下来的步骤中，则在这些暖色的色彩上使用冷色。

3 底色必须完全干透，以避免再上色时会将原来的颜色带起。用原色钛和马尔斯黑调和，涂在画面顶部区域。用浅镉黄和群青调成淡绿色，画前景部分。

4 在第三步所调的绿色中，再加入原色钛调和，画出远处的呈三角形的牧场。接着，在马尔斯黑中加入一点点浅镉黄，调成谷仓附近树木的深绿色。记住，在画面边缘，要有意让暖调的底色露出些许。

5 用群青和原色钛调和，画出远处的小山。然后在已调好的颜料中，加入钛白调和，画出天空。用钛白画出云彩。用浅镉黄和马尔斯黑调和，在树木上添加一下，让其色彩有些细微的差异变化。

也可以反过来使用这一技法，即用与本身色调相反的色调来作底色。如果你觉得画面上色彩几乎都是暖色系的话，可以试着用蓝色、绿色或者紫色先打一层底色。

14 绘制简单形状的物品：蛋糕薄片

材 料

- 白纸、画布或者涂有底料的成品丙烯画布
- 8号圆头画笔
- 4号榛形画笔
- 调色板
- 水
- 丙烯颜料媒介剂

颜 料

- 原色钛
- 镉橘
- 二氧化紫
- 深茜红
- 马尔斯黑
- 钛白

也试试这些吧

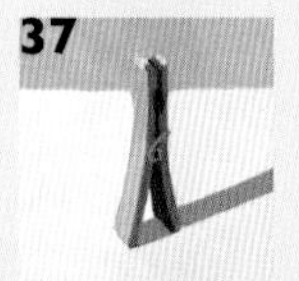

在这部分，你需要练习绘制一个十分简单的事物：一小片蛋糕。对于画家来说，无论以何种绘画媒介来进行创作，都可以形成一个良好的习惯，那就是将绘画主题可视化为基本的几何形式。刚开始，你可以将物体看作是球体、圆柱体、角锥体、圆锥体或者立方体的结合物，接下来即使碰到更为复杂的事物，也能有效地将其绘制出来。至于这块蛋糕，可以把它看作是一个对角平分切开的立方体。通过练习，培养你对光和影的表达能力。

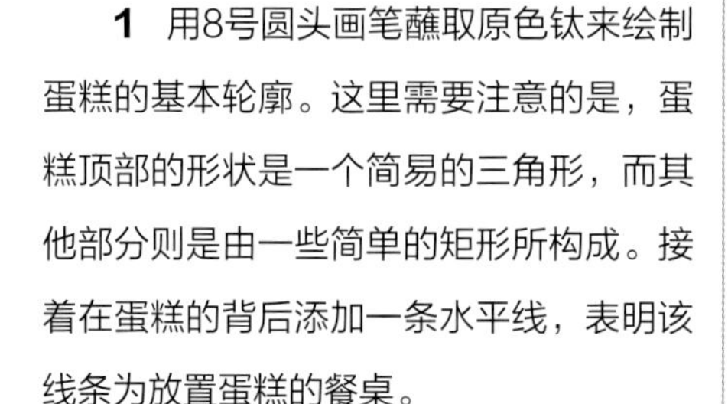

1 用8号圆头画笔蘸取原色钛来绘制蛋糕的基本轮廓。这里需要注意的是，蛋糕顶部的形状是一个简易的三角形，而其他部分则是由一些简单的矩形所构成。接着在蛋糕的背后添加一条水平线，表明该线条为放置蛋糕的餐桌。

2 混合镉橘和二氧化紫形成所需的赭石，并用这种颜色来绘出蛋糕上巧克力的部分。具体的方法是在蛋糕的顶部进行涂层，并沿着底边留出一条细细的白色条状区域，以此来表明高光。然后在蛋糕的中部、底部和背部涂同样的颜色。

3 将深茜红、原色钛以及之前用来绘制蛋糕部分的深棕色混合在一起，通过4号棒形画笔，将这种混合的色彩应用于桌面上方的背景，形成半透明的效果。

4 为了营造蛋糕上面的光照效果，并且绘制出蛋糕投射在桌面上的倒影，需要混合原色钛和少量马尔斯黑，形成中度灰色。然后将这种颜色应用在蛋糕的左侧。需要牢记的是，因为蛋糕会有一个直线形的边缘，所以这个倒影的边也需要是直的。

5 在桌面和蛋糕的侧边涂上半透明的原色钛光层。先是用镉橘、原色钛和少量二氧化紫的混合色来绘制蛋糕边缘的层面；接下来，用钛白和少量原色钛的混合色来填涂桌面。

想要了解更多关于使用简单几何形体构思的绘画作品，可以搜索一下美国波普艺术家韦恩·第伯（Wayne Thiebaud）的作品。

15 室外的光、影与明度：道路与草坪

材料

- 白纸、画布或者涂有底料的成品丙烯画布
- 10号圆头画笔
- 调色板
- 水
- 丙烯颜料媒介剂

颜料

- 土黄
- 浅镉黄
- 钴蓝
- 原色钛
- 镉橘
- 赭石
- 马尔斯黑

也试试这些吧

3

7

8

13

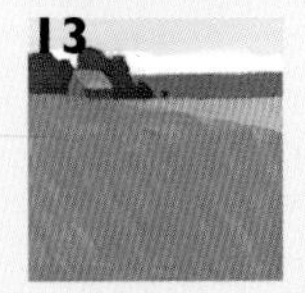

27

32

从第7个案例（参见48～49页）中我们可以得知，色彩的明度就是指颜色本身的相对明或暗的程度。理解这个概念很重要，原因在于当物体的阴影落在两个不同明暗的区域表面时，你需要以同样的方式来调整每一个区域表面的明度。例如，一个面是亮色区域，而另一个面为中等明度，那么每一面的阴影都需要采取不同的明度变化来使其变得更暗一些。其中，高明度的一面会形成一个中明度的阴影，而中明度的一面则会产生一个更为深暗的阴影。因此，通过遵循此类关系，你就可以在画作中有效地呈现光和影了。

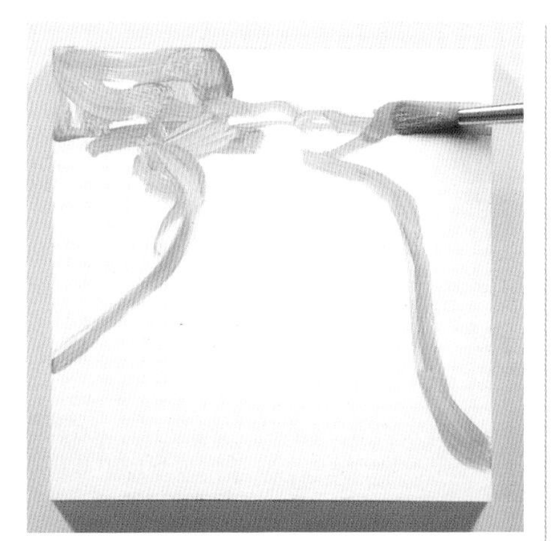

1 开始时用土黄勾画出形状的基本轮廓。需要特别注意道路的透视效果，确保它随着距离的不断延伸而逐渐缩小。在进行下一步之前确保该图层变干。

2 混合浅镉黄和钴蓝，并使用这种混合色来填涂草坪区域。要做到所混合成的绿色处于中度色彩明度。接下来，将原色钛与少量镉橘相混合，并用来填充道路的轮廓，要注意，这种混合色属于高明度。

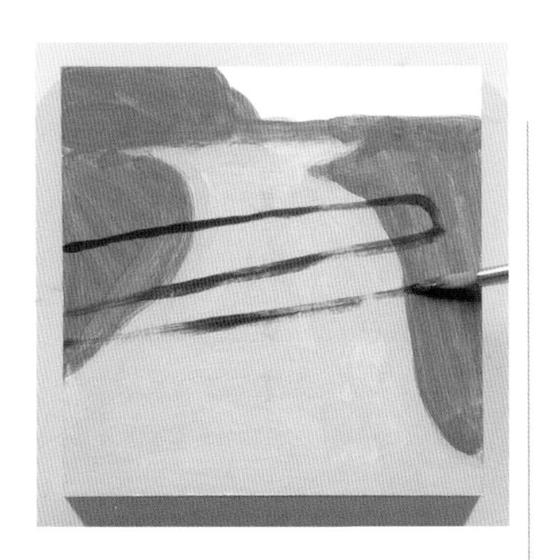

3 使用赭石来绘制出投射在道路与草坪上的倒影边缘，并且要保持倒影的形状非常简单。伴随着能力的提高，你将会绘制更加复杂的形状以及斑点效果。

4 将马尔斯黑与浅镉黄相混合成中明度绿色，并将其用作草坪的倒影。要注意的是，这种绿色呈现出更加暗淡的效果（因为是中高明度过渡到中低明度）。此外，将这种深绿色同样用于绘制远处的树木所形成的倒影。

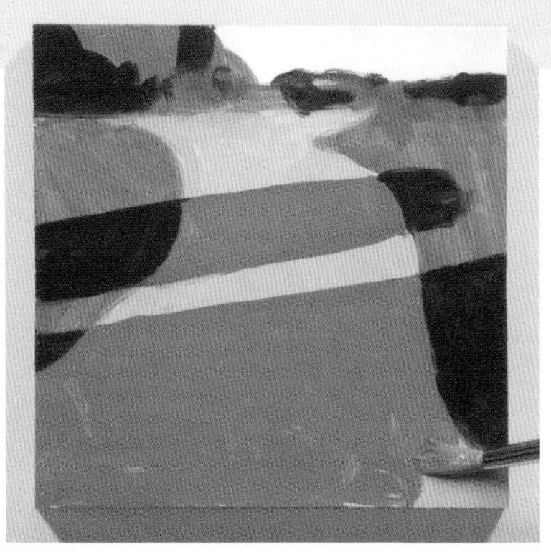

5 刚才在草坪的倒影中使用了下降两个等级的明度，现在通过混合原色钛、马尔斯黑和少量赭石，使得道路投影的明度下降两个等级，并且用这种合成的色彩来填涂道路上的影子。用钴蓝和钛白的混合色来描绘天空。

这件作品中的倒影表现得很有力，其原因在于亮色系区域的明暗度关系得到了正确处理。

16 透明之上的不透明涂层：夏日的树木

材 料

- 白纸、画布或者涂有底料的成品丙烯画布
- 10号圆头画笔
- 4号榛形画笔
- 调色板
- 水
- 丙烯颜料媒介剂

颜 料

- 钴蓝
- 钛白
- 浅镉黄
- 马尔斯黑
- 酞菁蓝
- 赭石

也试试这些吧

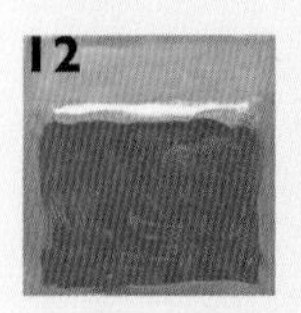

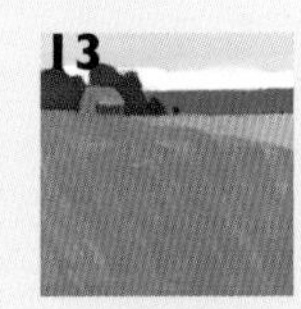

丙烯颜料相对于其他任何媒介剂有着天然的优势：由于它可以快速变干，所以可以在短时间实现多次的图层绘制。在本案例中，你将通过调整绘图媒介剂的添加量，来体验颜料的不同图层厚度。刚开始，可以进行稀疏而又透明的绘制；随之慢慢地推进，可以逐渐添加更多的颜料，并且根据工作情况，为涂层的干燥争取更多的时间。最后用浓稠而不透明的颜料进行涂层。使用这种方法可以为作品外观巧妙地添加多样性的元素。

1 使用10号圆头绘画笔，蘸取钴蓝和钛白所混合而成的轻便透明的色彩，来覆盖整个底面。绘制过程中，需注意观察当改变用笔的力度时，颜料所产生的反应。施加于画笔的力度越轻，就越容易绘制出更加顺畅和统一的作品。

2 将浅镉黄与少量马尔斯黑和钴蓝相混合，形成绿色颜料。然后用4号榛形画笔将该混合色运用于植物和草坪之上。其间需要注意颜料的厚度，应该比第一步中的颜料更加黏稠一些。

3 至于树木和草坪所形成的倒影颜色，需要混合浅镉黄、马尔斯黑和少量酞菁蓝，然后用4号棒形画笔进行绘制。注意，此时的颜料要比之前步骤中所采用的颜料略微黏稠一些。

4 将赭石与少量马尔斯黑两种颜料相调和，用来绘制树木的树干和分枝。为了保证线条的纤细，用10号圆头画笔轻轻地在调色板里滚动，这样就能够使得画笔所携带的颜料能够有一个尖细的端点。之后让绘画干燥10分钟，再进行下一步的操作。

5 最后的颜料涂层是最黏稠的。用钛白在地平线附近绘制出天空，然后用4号棒形画笔在顶部添加一些钴蓝。在这个点上，需要确保笔画的清晰可见。最后给树木和草地再添加一层绿色（用镉黄与钴蓝调和而成）。

一层一层、循序渐进地涂色，可以增加绘画作品表面的立体感和趣味性。

17 在底色上进行叠加：树影

材 料

- 白纸、画布或者涂有底料的成品丙烯画布
- 6号圆头画笔
- 4号榛形画笔
- 调色板
- 水
- 丙烯颜料媒介剂

颜 料

- 二氧化紫
- 镉橘
- 浅镉黄
- 中镉红
- 钛白

也试试这些吧

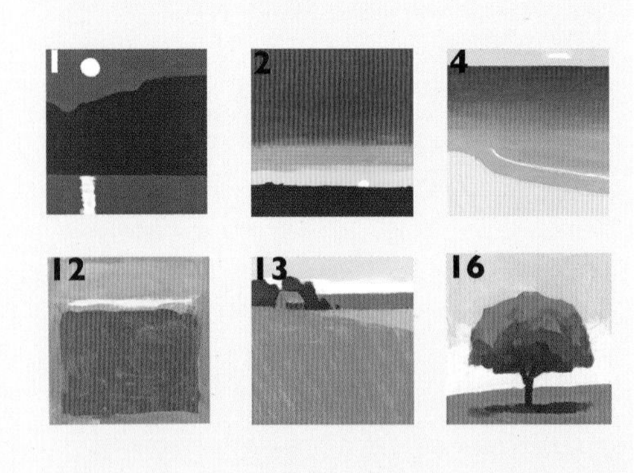

以蔚蓝色天空下的树木为主题的绘画，可以通过多种变换而获得精彩丰富的画面。因为这是一个相对容易绘制的景象，因此你可以尝试进行多次的绘制，并且用不同类型的树木和天空来进行相互替换。在这个过程中，你需要使用的主要方法是用稀薄、透明的颜料在暗淡而又不透明的底色上进行涂层。这个方法对于丙烯画家来说是非常理想的，因为每一层涂层都干得很快，从而实现了颜色的迅速覆盖。对稀薄的涂层进行上光也会为作品增添一些亮度和色泽，而这种色泽是仅仅使用不透明色彩所无法取得的。

1 将二氧化紫和镉橘两种颜料进行调和并稀释，然后用6号圆头画笔绘制出树木的基本轮廓和前景。你不必担心是否要完整地勾画出树木，因为接下来需要在这个涂层的基础上进行额外的绘制。在进行下一步绘制之前，让这个图层变干。

2 现在用4号榛形画笔，使用浅镉黄和丙烯颜料媒介剂调和而成的透明釉质对树木进行上光。在这个过程中，通过笔触的肌理表现，最终在作品中呈现出环状云层的视觉效果。

3 使用同样的画笔来调和少量镉橘和之前所使用过的浅镉黄这两种颜料。如果浅镉黄的图层依然潮湿，那么可以将少量镉橘轻轻融合到潮湿的颜料中去。而如果黄色的图层变干了，你可以轻微地减弱应用在画笔上的力度。

4 将同等比例的中镉红和镉橘两种颜料相调和，并且使用这种调和的颜料来绘制那些靠近地平线的云朵。然后在地平线上绘制出一个黄色的小点，以作为落日。将镉橘加入现有的混合颜料中，然后自下而上一直涂到天空。

5 此时，下层原有的树木轮廓应该还隐约可见。将二氧化紫和镉橘两种颜料相调和而形成赭石，使用6号圆头画笔来加强树木和前景。最后用钛白在落日上进行轻微地点涂，为它增添一些额外的亮度。

先涂好底色，这样可以做到对后面的每一步心中有数。丙烯颜料干燥速度较快，因此很适合一层层上色。

18 简单的抽象画：黄色圆圈

人们通常会以为抽象的绘画都是完全随意的，不需要特定的计划安排或使用设计规则。但事实并非如此。虽然随机性在很多抽象的绘画作品中扮演着很重要的角色，但是提前拟定一些想法会给你提供很大的帮助。这个案例中所遵循的简单规则主要有以下几个：所有的形状都是圆形的、每一个形状在形成的过程中都存在规格方面的略微差异、所有的形状都是用相似的颜料来进行绘制的（所采用的颜色在色相环上都是邻近色）。初看上去可能会觉得有些违反常理，但是对这些限制条件的使用能够让你专注于创作一件成功的抽象作品。

材料

- 白纸、画布或者涂有底料的成品丙烯画布
- 10号圆头画笔
- 4号平头画笔
- 调色板
- 水
- 丙烯颜料媒介剂

颜料

- 土黄
- 原色钛
- 浅镉黄
- 镉橘
- 钛白
- 钴蓝

也试试这些吧

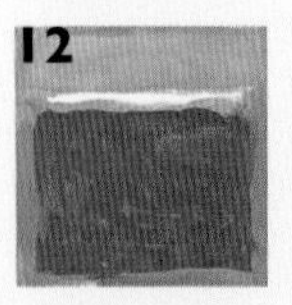

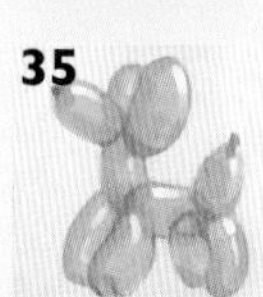

1 在底布上用10号圆头画笔随机地绘制出七个不同大小的圆圈，并用土黄与少量原色钛两种颜料相调和的色彩来改善圆圈的不透明性。尽量让圆圈均匀地分布在底布区域内。让颜料干燥5分钟。

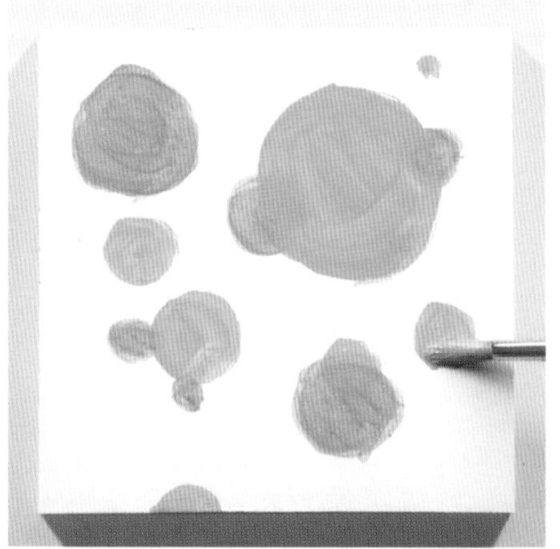

2 向混合颜料中加入浅镉黄和镉橘两种颜料，然后在覆盖原有七个圆圈的基础上绘制出七个新的圆圈，同样，让这七个圆圈保持大小不一。最好是先画一个大的圆圈，然后再逐渐地缩小圆圈的大小。

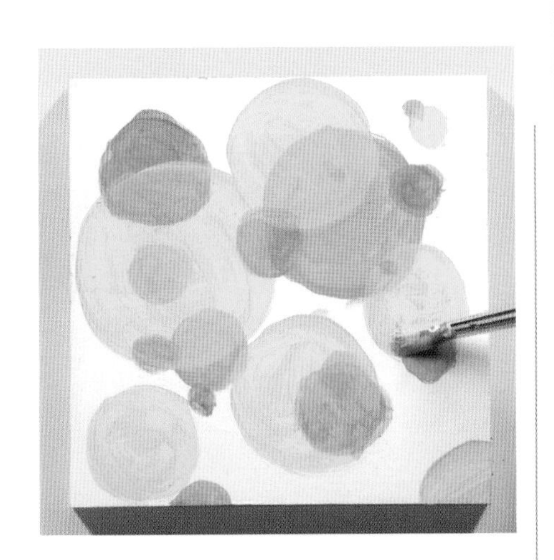

3 待颜料变干以后，用足量浅镉黄绘制下一组七个圆圈。注意观察相较于之前的圆圈组合，每一组的第一个圆圈是怎样开始绘制的。这个方法能够使你以一个有趣的方式实现这些圆圈的统一。

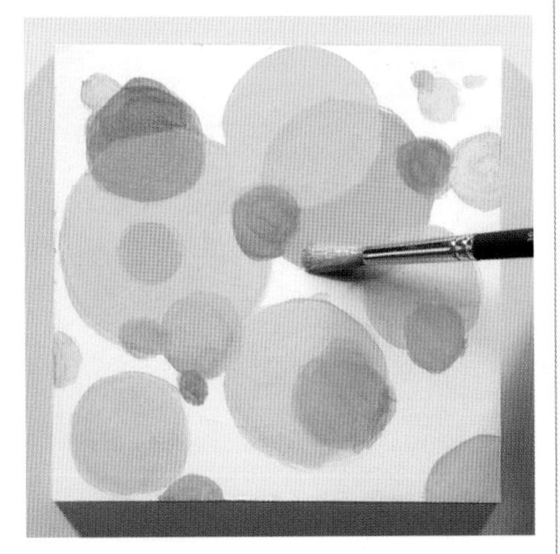

4 通过重新绘制一些不透明的区域并且保持其他部分的透明，你可以发现那些重叠的圆圈在透明度和不透明度方面的变化。为了保持颜色的连贯性，你只需要使用之前用过的混合颜料即可。接下来，让颜料干燥10分钟。

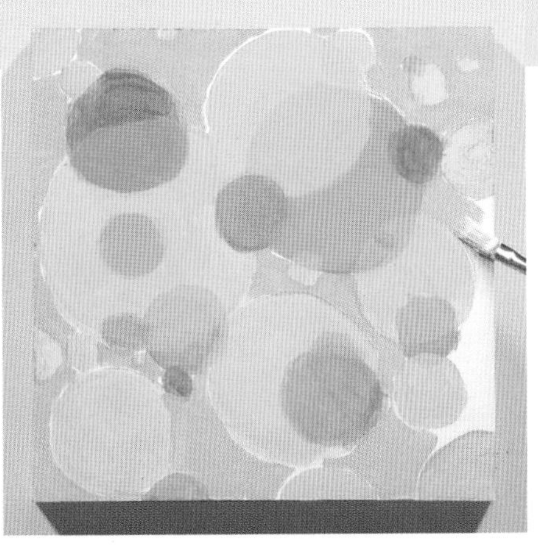

5 当对圆圈的空间安排和色彩应用满意以后，需要将钛白和钴蓝两种颜料的混合颜料用4号平头画笔来完成作品最后的背景勾画工作。这个混合色是圆圈中黄色和橘色的补色。

和很多其他的抽象绘画案例一样，你可以采用不同颜色和形状进行多次的重复练习。

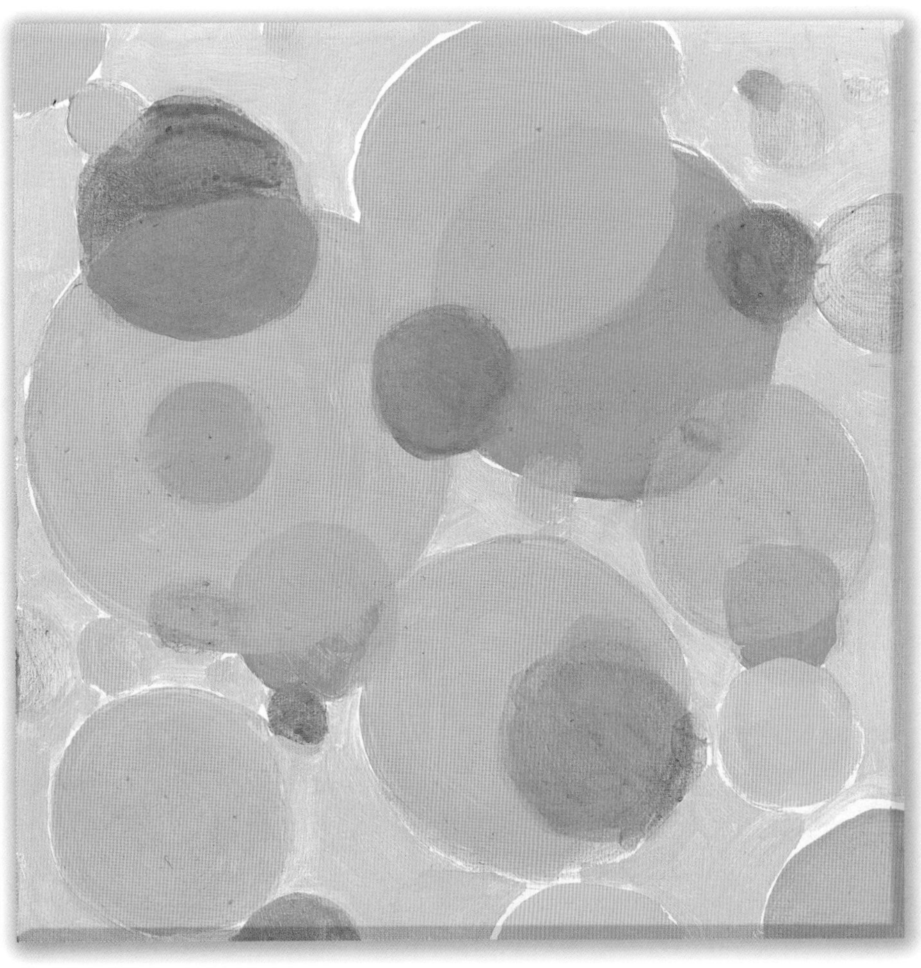

第三章

进阶

既然你对丙烯画的基本概况有了一个大致的了解，那么是时候接触一些更加复杂的案例了。本章将向你介绍一系列的设计准则、笔画运用技术以及创作更加生动的绘画作品所需要掌握的技能。

19 使用弧形笔画：毛线球

在二维的表面绘制一个三维的物体，你需要应用一些视觉上的技巧。其中一种表现立体形态和球状的方法，就是人们所说的“弧形笔画”。弧形笔画看上去是围绕着物体弯曲的，并且可以营造出三维形式的视觉形象。在后面一些案例中，你会逐渐进行难度越来越大的作品练习。不过，现在我们仅以一个简单的物体——一个红色毛线球，开始学习。

材料

- 白纸、画布或者涂有底料的成品丙烯画布
- 10号圆头画笔
- 调色板
- 水
- 丙烯颜料媒介剂

颜料

- 中镉红
- 原色钛
- 赭石
- 马尔斯黑
- 镉橘

也试试这些吧

10

11
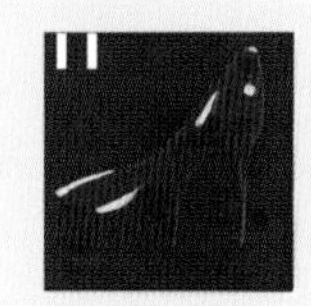
20

21

34

46

1 用中镉红绘制出一个不透明的球体。然后添加一条水平线作为桌面的背部，再画一个S形曲线作为羊毛散落出来的线条。你可能会觉得球体的边缘会有些不完整，但是没关系，只要画出一个毛线球的大致视觉效果就可以。

2 在红色球体变干的过程中，可以用原色钛、赭石和马尔斯黑这三种颜色的混合颜料来填充桌面，而用原色钛来对背景进行上色。在进行下一步操作之前，确保红色球体已经完全干燥（10分钟左右）。

3 需要注意的是，光线是从头顶直接照射到羊毛球上，并且在底布上形成球体一般大小的投影。将少量马尔斯黑与一些中镉红相混合，并将混合颜料用来描绘出球体下方新月形投影区域。

4 当颜料变干、可以触摸以后，用中镉红画出弧形线条。你所描绘的每一笔都会表现出羊毛的线迹，所以落笔时要轻一些。快靠近球体底部时，用少量几笔描绘即可。

5 向中镉红中加入少量镉橘，并用画笔重复第四步中所采用的方法，但是这一次是画出毛线球的顶部。注意不要完全覆盖表层的颜料，而是用弧形笔画来勾勒出独立的羊毛线条。最后对球体下方的投影进行颜色加深。

弧形笔画画法在很多情况下都可以使用。只要想表现物体的三维立体形态，都可以用弧形笔画的画法。

20 使用树枝笔画：鸟巢

材料

- 白纸、画布或者涂有底料的成品丙烯画布
- 8号圆头画笔
- 调色板
- 水
- 丙烯颜料媒介剂

颜料

- 土黄
- 赭石
- 马尔斯黑
- 钴蓝
- 原色钛
- 钛白

也试试这些吧

19

21

22

23

30

46

从第19个案例（参见74～75页）中已经得知，通过方向性笔画的简单运用，就可以在画作中营造出立体形式的视错感。正如鸟儿一次只可以为它的巢穴构筑一根木棒一样，你也可以为鸟巢作品一次贡献一个笔画。在不断完善作品的过程中，需要牢记使用一组亮度更高的颜色绘制木棒，而用相对更暗淡一些的颜色来表现木棒之间的剩余空间。

1 在底布的中间部位绘出简单的椭圆形，以对鸟巢进行定位。开始时用土黄，运用不同方向的树枝笔画对鸟巢形状进行填充，从而形成鸟巢的基本色调。然后在鸟巢的底部绘制出三个鸟蛋的外部轮廓。

2 以第一步中所画出的不同方向笔画为参考，使用赭石对鸟巢进行笔画添加。在绘制的过程中要确保土黄笔触的间隙可见。这些笔触象征着木棒之间的空隙，因此相比于第一步中所采用的笔触，这里的笔触要稍微宽泛一些。

3 向赭石中添加少量马尔斯黑，并用混合而成的颜料来加深投影的色调。以第二步中所示的笔触为参考，来绘制树枝标记的位置。这个颜色代表鸟巢的最深处。

4 用钴蓝和原色钛两种颜色的混合颜料来填充画面背景。使用原色钛和土黄两种颜色的混合颜料，在鸟巢顶部绘制出木棒的高光部分。然后使用钛白和钴蓝的混合颜料来绘制鸟蛋。

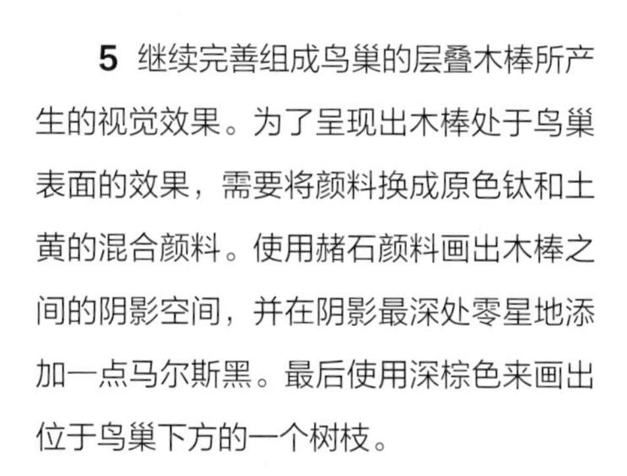

5 继续完善组成鸟巢的层叠木棒所产生的视觉效果。为了呈现出木棒处于鸟巢表面的效果，需要将颜料换成原色钛和土黄的混合颜料。使用赭石颜料画出木棒之间的阴影空间，并在阴影最深处零星地添加一点马尔斯黑。最后使用深棕色来画出位于鸟巢下方的一个树枝。

立体形态的视觉效果，往往通过方向性笔画的运用来实现。更多案例可参见第19个案例（参见74～75页）和第46个案例（参见130～131页）。

21 使用具有表现力的笔画：瓶中的花朵

材料

- 白纸、画布或者涂有底料的成品丙烯画布
- 8号圆头画笔
- 调色板
- 水
- 丙烯颜料媒介剂

颜料

- 浅镉黄
- 镉橘
- 中镉红
- 原色钛
- 马尔斯黑
- 钛白
- 钴蓝

也试试这些吧

本书中几乎所有的案例采用的都是相同的基本方法：先描绘出物体的轮廓，然后用各种不同的颜色进行填充。然而在本练习中却没有事先的安排或者指导纲要，而是在一个简单定义的空间内，通过随意的涂画（也称作树枝涂描）来绘制出花朵的形状。该方法的目的，是方便在创作过程中进行更进一步的随性发挥。

1 首先在画笔上涂抹少量浅镉黄。要注意对第一朵花的定位不是靠用画笔来勾出它的轮廓，而是在底布上随意地描涂出阴影痕迹。

2 在上一步的颜料变干之前，往混合颜料中添加少量镉橘，然后用新的混合颜料在黄色花朵上端随意地描绘出一个特定的投影区域。接着，往混合颜料中添加中镉红，并采用与上一步相同的技法来绘制出另外一朵花。

3 往混合颜料中添加原色钛，然后采用涂描的方式来勾画出粉红色的花瓣。接着，往混合颜料中添加马尔斯黑和钛白两种颜料，生成暖灰色。通过类似的方向性笔画，将这种颜色运用到背景和玻璃瓶的内部。

4 往混合颜料中添加钴蓝和浅镉黄两种颜料，并形成暗绿色。用这种颜色来绘制玻璃瓶内部的叶子。为了达到最大的渲染效果，需要在过渡到下一步的过程中变换涂描的笔画方向。

5 将原色钛和少量马尔斯黑相混合，形成中度灰色，画出花朵的阴影。用钴蓝来覆盖叶子上部分阴影区域。最后将花朵部分外边缘勾画一下。

通常情况下，当一幅作品中带有强烈的、具有感染力的元素时，就需要牺牲作品中一些具象细节，使得作品更具活力。

22 笔画的变换：道路与天空

材料

- 白纸、画布或者涂有底料的成品丙烯画布
- 4号榛形画笔
- 调色板
- 水
- 丙烯颜料媒介剂

颜料

- 原色钛
- 赭石
- 马尔斯黑
- 浅镉黄
- 土黄
- 镉橘
- 钴蓝
- 钛白

也试试这些吧

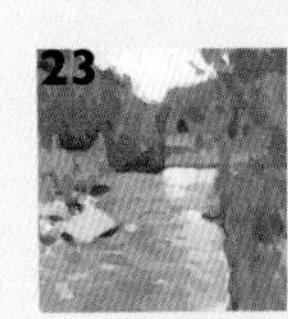

想要为作品增添趣味性，一种有效的方法就是不断地变换笔画和笔触的流畅度和粗糙度。使用含有高浓度颜料媒介剂的混合颜料所绘制出的笔触会显得生硬而又急促。但如果想获得简略而又随性的笔画效果，那么不妨使用含高浓度色素的混合颜料，并且在底布上轻轻地拖拽笔画（这种技法被称为“干笔画法”）。在本练习中，可以交替使用粗略的干笔笔画和生动而又有棱角的湿笔笔画。

1 首先用原色钛对底布进行简单的图层着色，等到图层变干以后，用赭石描绘出道路和树木的形状。开始时对相对明亮一些的区域采用简单的图层涂刷，然后慢慢地随着颜色的变深而采用饱满的颜料进行绘图。

2 将少量浅镉黄与马尔斯黑相融合形成绘制树木所需的深绿色，然后轻轻地用水平方向的干笔笔画来描绘树木。在这个过程中，要做到笔画的随意和松散，并保持边缘的粗糙和模糊。

3 接下来是绘制云彩，先用灰色进行绘制（这种灰色是原色钛和少量马尔斯黑混合而成的颜料），然后在云彩的四周描绘出天空的蓝色。这样一来可以避免天空的颜色过于混乱，同时也勾出了云彩。

4 用钴蓝和钛白的混合颜料绘制出天空的蓝色，并用原色钛和灰色来描绘云朵。这个方法看上去有些违反常理，但是这样做能够依稀露出云朵的色彩，并且形成天空与云朵的有机结合，而不是刻意地描绘出云朵的轮廓，然后用色彩去对它们进行填充。

5 通过马尔斯黑和浅镉黄两种颜料的随性使用来描绘出中等明度的绿色植被。然后将画笔清洗干净，并调和原色钛和镉橘两种颜料来进行道路的绘制。记住要通过松散和粗略的笔画，来体现出有趣的肌理效果。

交替使用粗略和紧密的笔触，可以使你的作品表现出多样性，并充满生机和活力。

23 使用随性的笔画：印象派风景

以印象派的风格来进行绘画，是一种较为轻松的创作方式。因为物体都是通过小巧而又具重复性的笔触组合来进行表现的，所以就少了些对精确度的追求，而多了些演绎的手法。在这个案例中，一开始使用镉橘着底色，然后再使用绿色和蓝色。让暖橘黄的斑点在笔触之间表露出来，可以有效地平衡冷色调之间的关系，并实现了画面的统一。

材料

- 白纸、画布或者涂有底料的成品丙烯画布
- 6号圆头画笔
- 4号榛形画笔
- 调色板
- 水
- 丙烯颜料媒介剂

颜料

- 镉橘
- 土黄
- 天蓝
- 钛白
- 群青
- 赭石
- 深茜红

也试试这些吧

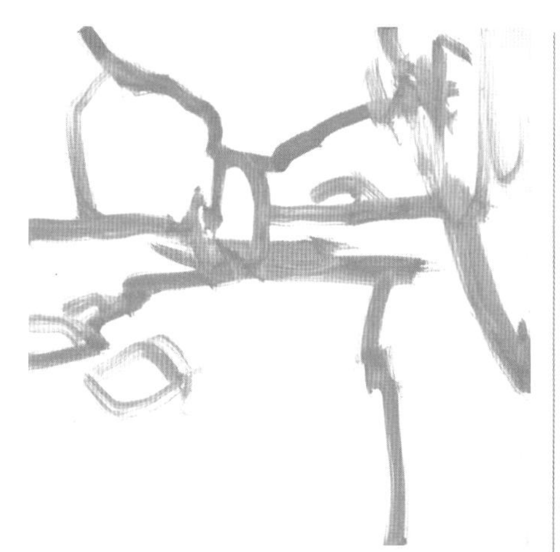

1 用镉橘对风景画的基本轮廓进行初步勾画。需要注意的是，对形状的安排是为了体现作品的深度感。离观众视线越近，物体的形状就会越大；而随着距离的不断加大，形状也会慢慢变小。

2 对于草坪和植物的部分，要用镉橘进行填充。运用更加稀薄而透明的镉绘制出水和天空。让颜料干燥5分钟。

3 将土黄和天蓝两种颜料相混合，形成中等明度的绿色，然后运用6号圆头画笔，并采用短促的笔触，给树木和草坪区域上色。这其中，使用垂直笔触来表现草坪和树木，而用水平笔触来表现水面。

4 继续对绿色植被进行上色。给远处的树木添加更多的天蓝，而给近处的树木添加更多的土黄。将天蓝和少量钛白两种颜料相混合，并用短促的水平笔触来表现河流的形状。记得要让底层的色彩依稀地露出些许。

5 将群青和赭石两种颜料相调和，并使用4号榛形画笔在左侧勾画出物体的轮廓，以进一步突出物体形态。给植物添加一些中度的紫色，从而增添颜色的丰富性。最后使用钛白和天蓝的混合颜料绘制出一些石头，并对树木和水进行轻微的色彩调整。

注意保持笔触的清晰与整洁。在使用颜料时，要尽可能避免颜料的流动。这样一来，就可以使得作品表现出印象派的画面特征了。

24 重新定义画笔笔触：滴画

如果学习过近现代艺术史课程，就会对“笔触的演进”有更深层次的理解。开始时是印象派和其标志性的对破碎色彩的运用，然后发展到野兽派和那些大胆而又杂乱无章的绘画笔触，最后发展到20世纪抽象表现主义，它们的特点是在颜料的运用上采取变革性的技法。对于这部分练习，你将会通过用画笔蘸取流体颜料，然后再滴到画布上的方法来实现。

材料

- 白纸、画布或者涂有底料的成品丙烯画布
- 8号圆头画笔
- 8号长毛埃尔伯特画笔
- 调色板
- 水
- 丙烯颜料媒介剂

颜料

- 土黄
- 赭石
- 原色钛
- 马尔斯黑
- 钛白

也试试这些吧

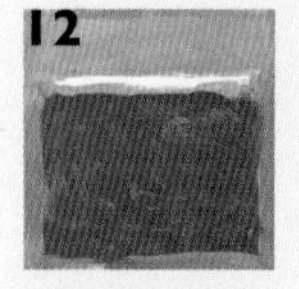

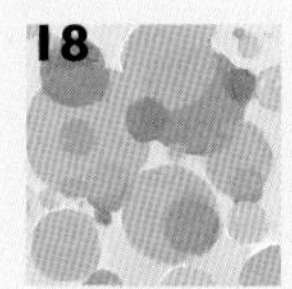

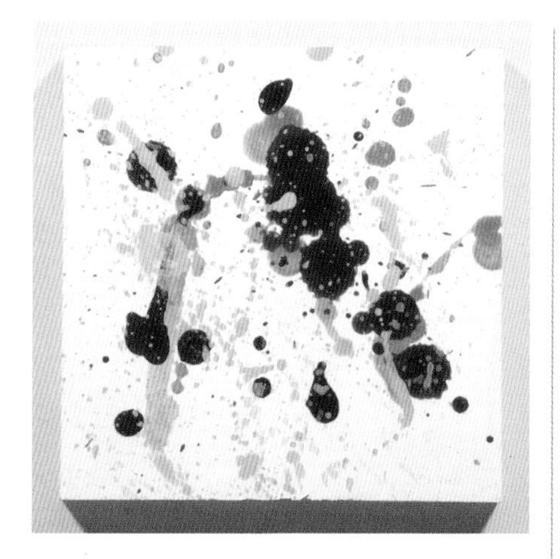

1 这是一个凌乱的过程，所以要确保背景画布不会沾到多余的颜料。将土黄、水和丙烯颜料媒介剂进行融合并稀释。然后用画笔蘸取混合好的颜料，轻轻地挥动手臂，让颜料滴落到画布上。接下来重复同样的动作，用赭石与原色钛的混合颜料进行再次上色。每一次操作之前都要保证之前的颜料干透。

2 将中镉红、镉橘和浅镉黄这三种颜料相调和，混合出几种近似色（这里所说的近似色是指色相环上彼此相邻的色彩），采用颜料滴落的方法，给画面上色。保持这几种颜色的近似性，可以有效地平衡因随机点涂而带来的画面凌乱感。然后再用由马尔斯黑和钛白这两种颜色混合而成的灰色进行滴涂，从而增加画面的丰富感。

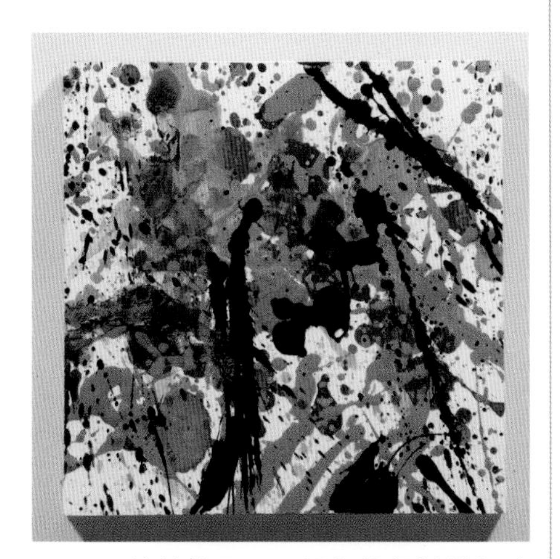

3 继续使用不同颜色的颜料进行滴涂。在每一次涂层之间保持间隔一定时间，让颜料变干，这样就可以避免颜料之间的相互渗透。然后将使用了丙烯颜料媒介剂稀释过的马尔斯黑，进行再一次的涂层。此媒介剂能够让颜料有效地附着于之前的色层之上。

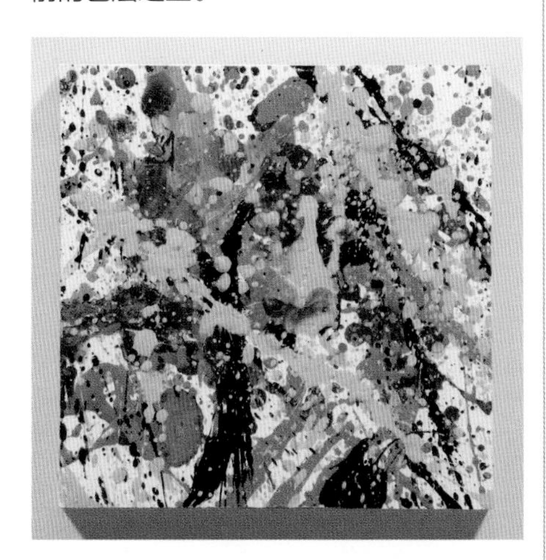

4 等颜料变干后，用一些原色钛进行点涂。通过改变手臂移动的速度和用力强度的方法，可以让颜料呈现出不同的滴涂厚度。

5 继续用不同颜色的颜料来进行滴涂，直到对作品满意为止。在这个过程中要尽量使用相似颜色的颜料，以使作品保持有效的统一性。使用颜色和明度明显反差的颜料，会导致作品显得混乱而又缺乏统一性。

可以多次地进行此案例的绘画练习，从而形成一个作品系列。可以尝试用不同的颜料进行多次绘制，最后把这些作品按组合悬挂在一起。

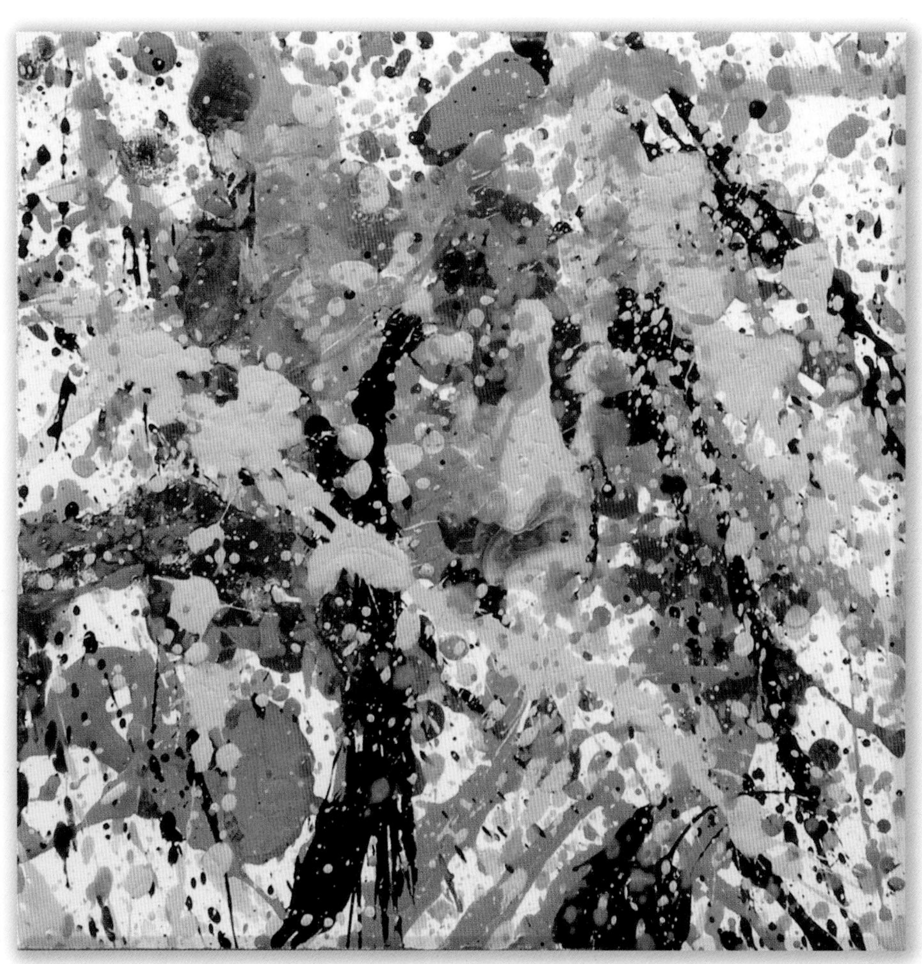

25 绘制多彩的形状：公鸡

材料

- 白纸、画布或者涂有底料的成品丙烯画布
- 8号圆头画笔
- 调色板
- 水
- 丙烯颜料媒介剂

颜料

- 土黄
- 钛白
- 原色钛
- 马尔斯黑
- 镉橘
- 赭石
- 中镉红

也试试这些吧

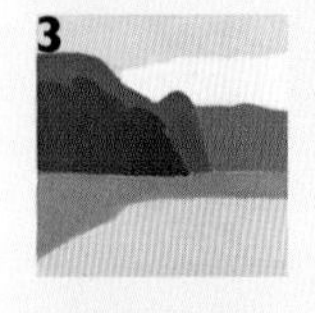
3

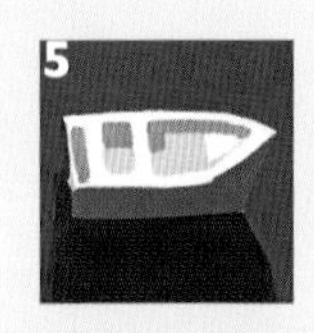
5

28

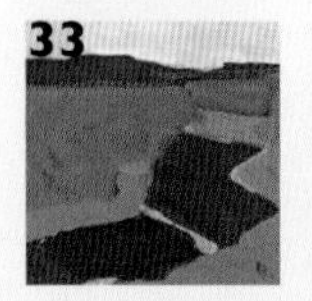
33

47

49

相比于边缘清晰明朗的图像，那些具有边缘柔和、色彩相近的物体往往更加难以用丙烯画表达出来。总的来说，把鸟禽案例的画法放在书中较后部分来讲授，是因为其形状比较“图像化”。在本案例中，需要描绘出公鸡羽毛的基本形状。事实上，你没有必要绘制出每一根羽毛，而是最好把羽毛图案的每一个部分当作一个独立的形状。

1 首先用土黄绘制出公鸡的基本轮廓，也可以采用第一章“转移绘画”的技法（参见28～29页）画出公鸡。然后用同样的颜料对轮廓内的区域进行上色。在进行下一步之前让颜料变干。

2 用钛白和原色钛两种颜料的混合颜料来填涂公鸡以外的空白部分。在这个过程中，可以清理掉一些前期留下来的轮廓线条，并且对公鸡的基本形状进行调整。

3 等颜料变干后，将公鸡身上的黑色羽毛部分作为第一组形状组合，用马尔斯黑画出。然后用土黄为黑色羽毛区域勾一下边。用马尔斯黑描绘公鸡的眼睛。

4 用镉橘绘制出公鸡脖子和尾部的羽毛，而用赭石描绘公鸡头部下方、腿的背部以及翅膀的背部等区域。要尽可能让整个形状看上去简洁，并有硬朗的边缘。

5 用原色钛和钛白来描绘公鸡的喙和眼睛下方的白色斑点，并用赭石描绘出公鸡喙部下方的阴影。使用中镉红来对公鸡的鸡冠和靠近后背的羽毛部分进行绘制。最后用原色钛绘制出背景，并用土黄和少量马尔斯黑的混合颜料，轻松随意地描绘出位于公鸡足部的草地。

忽略具体细节的刻画，而进行大块面的组合上色，能够为你的绘画作品增添冲击力和清晰度。

26 大形状与小细节：城市风景

材料

- 白纸、画布或者涂有底料的成品丙烯画布
- 10号圆头画笔
- 8号圆头画笔
- 调色板
- 水
- 丙烯颜料媒介剂

颜料

- 原色钛
- 马尔斯黑
- 浅镉黄
- 中镉红
- 钛白

也试试这些吧

当我们在描绘一幅由很多部分构成的风景画时，常常会想着刻画出尽可能多的细节。尽管这种方法不会轻易地造成失败，但是也可以选择另一种方法：轻松地描绘出风景画中的大体形状，然后再适当地添加一些细节。在本案例中，首先描绘出高大而简单的物体形状，然后再进行微小紧凑的细节绘制。虽然听起来很让人惊讶，但是人们通常只需要通过观察作品中少量细节的绘制，就可以看出你作品的完成程度。

1 通过10号圆头画笔，将原色钛运用到整个底布的表面，从而营造出暖色调的背景。这样一来就能够有效地平衡接下来灰色所形成的冷色调。让颜料变干。然后用一些马尔斯黑与原色钛相混合形成中度灰色，然后用这种颜料随性地对前景进行填充，并绘制出建筑物的轮廓形状。

2 往之前的混合颜料中再添加一些马尔斯黑，然后给画面添加一些简单的元素：可以随性地描绘出街道的外轮廓，并在街道的旁边绘制一些树木和一部汽车。没有必要刻画出任何微小的细节，只要绘制出大致的形状就可以。

3 用马尔斯黑来加深前景中的投影。然后还需要使排列在街道旁的树木和汽车的轮胎变暗。此外，需运用一些短促的纵向笔触来呈现出红色尾灯（将在第五步中添加光源）。

4 下一步，将少量浅镉黄添加到上一步所使用的颜料中。然后用这种绿色对排列在街边的树木进行上色。因为绿色和红色互为补色（在下一步中将进行添加），因此每一种色彩都会让另外一种色彩显得更加生动。

5 在作品绘制的最后部分，用小一号的8号圆头画笔，蘸取浅镉红，对汽车的红色尾灯和刹车灯进行上色。然后用钛白和原色钛的混合颜料对天空进行上光，并在前景中添加一些细节。

色彩中性、宽大而简单的形状，并结合高饱和色彩的小细节，能够使作品呈现出良好的结构布局。

27 简化的风景：雪景

材料

· 白纸、画布或者涂有底料的成品丙烯画布
· 10号圆头画笔
· 调色板
· 水
· 丙烯颜料媒介剂

颜料

· 土黄
· 浅镉黄
· 钴蓝
· 马尔斯黑
· 钛白
· 原色钛

也试试这些吧

绘制一幅包含很多细节的室外风景画，这似乎让人听起来会有点畏惧。有效的方法是：将自然中大量的复杂细节，简化为更加紧凑而统一的物体形状。在本练习中，可以想象一下将画面分成两个独立的部分：前景部分（阴影区域）和中景部分（光线照射下的区域）。你将通过使用简化了的形状（而不是细节）来表现树木和皑皑白雪。

1 用土黄绘制一组树木（这种技法称为“块化画法”，后续的案例中会对其进行解释）。最好是将画面分割为一些简化的图案，而不是各种细节的堆积，这样对作品最终的呈现也能做到心中有数。

2 等颜料变干以后，将浅镉黄与少量钴蓝相调和，然后用混合而成的亮绿色来绘制植物。接下来，用丙烯颜料媒介剂稀释混合颜料，描绘出树木的形状。

3 等之前的颜料变干以后，使用少量浅镉黄和马尔斯黑两种颜料调和出深暗的绿色，然后用这种颜色来描绘前景中一棵树的轮廓。因为这棵树处于阴影区域，所以和其他光照之下的树木比起来，它可以为整个画面增添一些纵深感。

4 为了将前景中白雪上的阴影区域与远处光线的白雪区域完全区别开来，需要将钴蓝混合进大量钛白中，并且用混合颜料来描绘整个前景。让蓝色的阴影一直深入到树木的轮廓中，使它们出现在同一个块面内。

5 在绘制作品的最后部分时，用非常少量的原色钛与钛白相混合成暖白色。然后用这种色彩的颜料遮盖多余的笔画，并且为远处阳光照射的白雪营造出明亮的视觉效果。

用一些基本图案来简化构图，能够让你创作出更加紧凑而统一的作品。

28 形状块面化：香蕉串

在本练习中，你将会了解到一种被称为“块面化”的技法。这种技法是将大量的小而细节性的形状整合成更大、更规范的形状。如果不确定该整合成什么样，有一个简单的技巧——采用半眯着眼睛的方法来观察所要描绘的事物。这样就可以排除很多细节部分，并让你对构成事物的所有形状有一个更直观的印象。

材料

- 白纸、画布或者涂有底料的成品丙烯画布
- 8号圆头画笔
- 4号平头画笔
- 调色板
- 水
- 丙烯颜料媒介剂

颜料

- 浅镉黄
- 镉橘
- 土黄
- 钴蓝
- 天蓝
- 钛白
- 二氧化紫
- 马尔斯黑

也试试这些吧

25

26

29

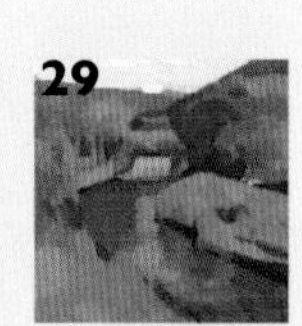

30

31

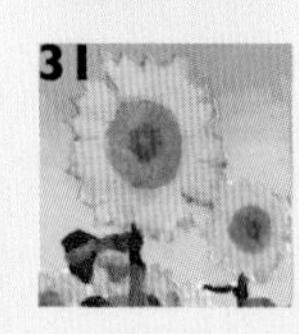

50

1 用8号圆头画笔、不透明的浅镉黄来绘制或者块化整个香蕉串的形状，并且不使用任何细节来描绘独立的香蕉个体。在进行下一步之前等颜料干燥10分钟。

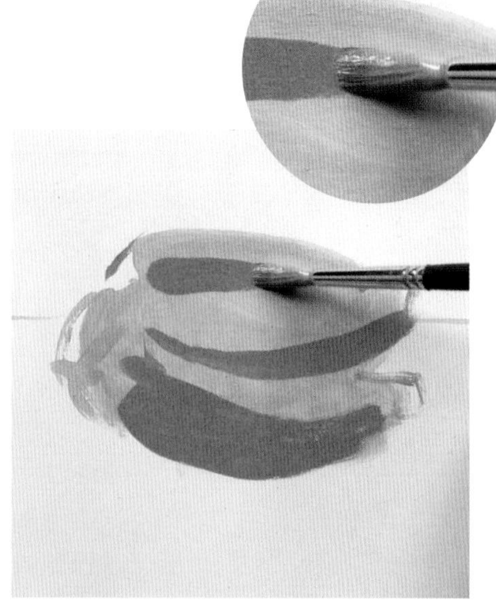

2 使用镉橘和土黄两种颜料的混合颜料来绘制出阴影区域。在本案例中，光照是从上向下直接照射在香蕉上的，所以要在每只香蕉的下方绘制出投影。

3 为了营造出香蕉和背景之间的色彩对比，需要将钴蓝、天蓝和少量钛白这三种颜料相混合，然后用4号平头画笔绘制出背景。在这个过程中，要记得掩盖多余的笔触，并且锐化香蕉的边缘。

4 将等量镉橘与二氧化紫相混合，所形成的深棕色用来绘制香蕉的柄和底端，并且用该颜料绘制香蕉串下方的阴影。接着调和出土黄与原色钛的稀薄釉质颜料，并用这种颜料画出香蕉上方的阴影区域，并反衬出其受光区域。

5 将少量天蓝和一些镉黄相调和，画出香蕉底部区域。使用浅镉黄和钛白的混合颜料在黄色区域上方绘制出一些较为柔和的高光，突出光线的照射效果。用钴蓝、马尔斯黑和原色钛三种颜色的混合颜料，来对背景进行填充涂色。

使用块面化技法，可以将多个物体结合为一个统一的整体。

29 自然中的块面化：河流与树木

在绘制自然风景时，我们面临的最大挑战就是怎样去除不必要的细节。毕竟所有的树叶、枝干、木棒和石块都会引起你的注意。解决这个问题的一个途径就是将零碎的部分凝聚在一起（也叫作“块面化”），并在画面中一些重要位置来零星地绘制出少量细节。在本案例中，尝试着将画面想象成由三个基本形状组成：水的形状，树木、草地和其他植被的形状，以及天空的形状。

材料

- 白纸、画布或者涂有底料的成品丙烯画布
- 10号圆头画笔
- 调色板
- 水
- 丙烯颜料媒介剂

颜料

- 土黄
- 群青
- 浅镉黄
- 马尔斯黑
- 钛白
- 钴蓝
- 赭石

也试试这些吧

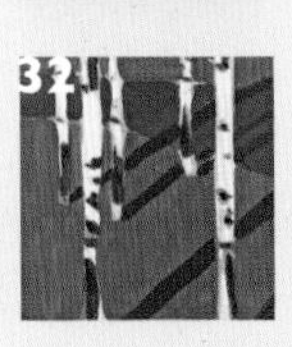

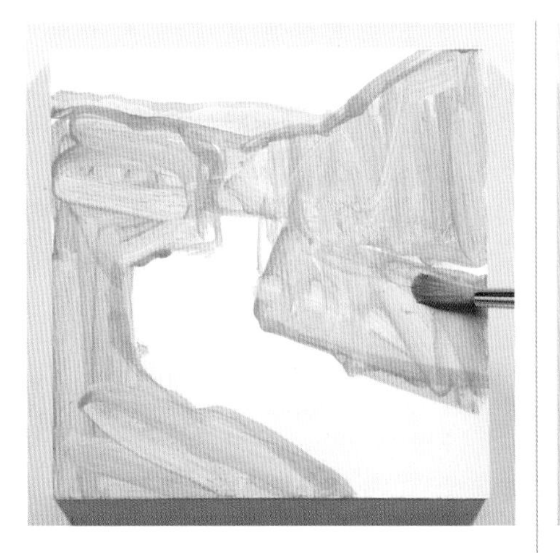

1 在底布上绘制出三个形状的基本区域，然后用稀释的土黄描绘出所有的植物、树木和草坪。这样一来就形成了暖色调的底层，从而方便后续进行冷色调蓝色和绿色的绘制。在进行下一步绘制之前让颜料干燥10分钟。

2 用群青和浅镉黄相混合形成的鲜绿色绘制前景，然后将马尔斯黑添加到混合颜料中，并用新的混合颜料绘制树木和草坪下方的阴影。此外，随着形状不断地向远处延伸，需要往之前的绿色中添加少量钛白，并用新的混合颜料绘制远处的山丘。距离越远，颜色就显得愈发苍白和暗淡，这样可以给画面增添纵深距离感。

3 用钛白和钴蓝的混合颜料来绘制天空。对河流的绘制需要分两步进行，首先是用赭石进行底层的绘制（这样就能够在倒影中看到河床）。让颜料干燥10分钟。

4 为了在表现河床的同时，呈现出水面对天空的反射效果，需要用画笔蘸取钴蓝、钛白和赭石三种颜色的混合颜料，并对河流表面进行轻微的涂刷。同时用横向的笔触刻画出水面的波纹。

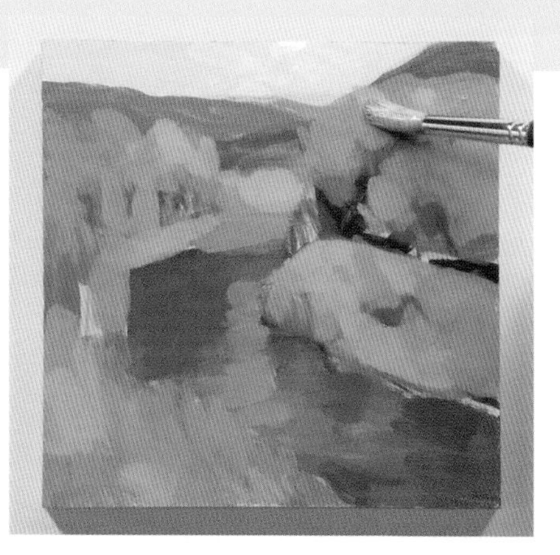

5 在作品绘制的最后环节，对树木和草地的绿色进行轻微调整。交替使用偏黄的绿色和偏蓝的绿色，使整个画面显得更加丰富。

想要在一幅风景画中表现出大量的信息，从来不是一件容易的事情。可以试着将画面转化为简洁和基本的形状。

30 对多个物体进行块面化：罂粟田

在本案例中，你需要将多种物体结合成一个大的组合，或者把它们“聚集”在一起。这样一来就能够将复杂的各个个体，转化成一个紧密结合的统一体。你可以在脑海中先构思出两个独立的形体：一个是罂粟花的组合，另外一个是将罂粟花包围在其中的绿色区域。虽然有一些细节差异，但大体而言，罂粟花和绿色田地一样，都采用统一的色彩和明度。

材料

- 白纸、画布或者涂有底料的成品丙烯画布
- 10号圆头画笔
- 调色板
- 水
- 丙烯颜料媒介剂

颜料

- 镉橘
- 中镉红
- 马尔斯斯黑
- 浅镉黄
- 群青

也试试这些吧

10

21

23

25

26

31

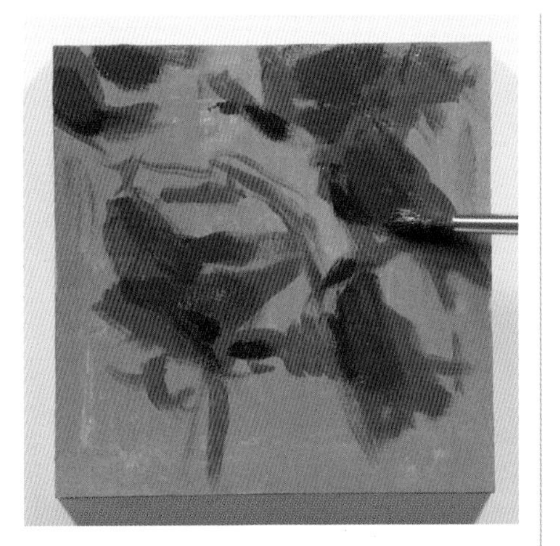

1 首先用镉橘对底布进行着色，这种颜色也是罂粟花中的最高明度色。使用中镉红来绘制出罂粟花的中明度色彩部分，注意要通过块状的方式运用色彩，以便花朵的形状能够形成统一的整体。然后将少量马尔斯黑与中镉红两种颜料相混合，并用这种混合颜料对部分阴影进行加深。

2 用少量群青与浅镉黄相混合，并用这种混合颜料描绘出田地中的草坪区域。记得要运用大的形状来表示出所有的罂粟花，从而保持画面的完整性。

3 在之前使用的绿色混合颜料中添加一些马尔斯黑，并用新的颜料对田地区域进行加深。同时用新的混合颜料进一步加深罂粟花的边缘，从而强化罂粟花与田地之间的对比关系。绿色和红色互为补色，彼此可以让对方显得更充满生机。

4 通过混合镉橘和浅镉黄来获得更鲜艳的色彩，并将其用于描绘罂粟花的花瓣。切记各个罂粟花的亮色区域必须保持色彩的明度一致。

5 在作品绘制的最后环节，将马尔斯黑与中镉红两种颜料相混合，并用混合好的颜料对花朵中心和背景的灰暗区域进行描绘。最后用红色、橘色或者绿色，对花朵块状区域再勾涂一遍。

在绘制由很多相似的事物组成的画面时，最好是将这些物体以大的块状形式进行组合。

31 利用色温形成对比：葵花

当谈及色彩时，我们用“色温”这一术语来形容色彩的相对暖或者冷。例如，橘黄色是暖色，而蓝色是冷色。当我们将一个颜色与另外一个相似的颜色作对比时，这些术语也被用来形容一个色彩的相对色温。在一幅作品里，你可能会同时发现暖绿色和冷绿色。本次练习将聚焦于如何使用对比色温营造出画面的戏剧性效果。

材料

- 白纸、画布或者涂有底料的成品丙烯画布
- 10号圆头画笔
- 调色板
- 水
- 丙烯颜料媒介剂

颜料

- 土黄
- 浅镉黄
- 马尔斯黑
- 天蓝
- 钛白
- 中镉红

也试试这些吧

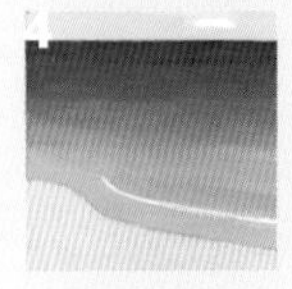

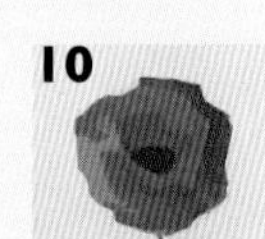

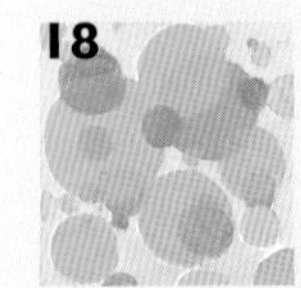

1 首先用稀释的土黄勾画出葵花。确保它们在形状方面出现大、中、小的多样性格局。此外，为了让作品显得更具统一性，花朵之间可以有部分重叠。

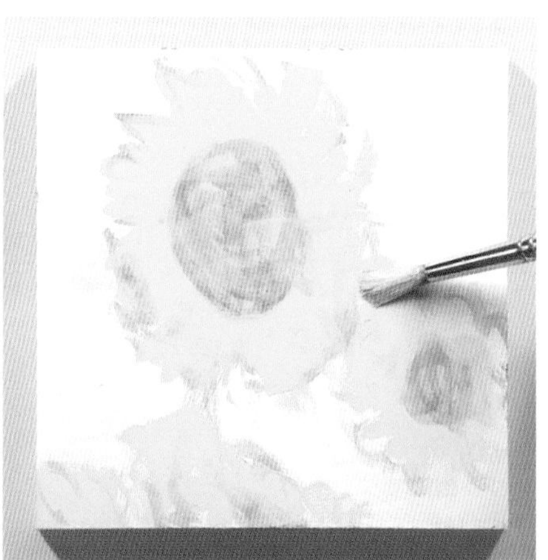

2 等颜料变干以后，用画笔蘸取饱满的浅镉黄绘制出花瓣的大体形状，并将同样的颜料采用拖动画笔的方式，对葵花的中心部位进行刻画。

3 用土黄对花瓣和中心花盘进行进一步描绘。葵花的中心往往成为画面的焦点。注意保持笔触的随意与灵活。在第五步中可以清除多余的笔画。

4 为了获取花藤和叶子所需的绿色，需要将少量马尔斯黑添加到浅镉黄中，然后轻轻地绘制出花藤。

5 在绘制作品的最后部分时，要在葵花的背景区域绘制出颜色的渐变效果（参见第4个案例，42~43页）。首先是在顶部用天蓝和少量钛白的混合颜料进行描绘。在这个过程中，需要往混合颜料中添加更多的钛白。最后用浅镉黄和中镉红的混合颜料绘制出葵花的中心部分。

同时使用冷、暖色可以让你的作品表现出戏剧性的颜色对比效果。

32 用互补色进行强化：桦树

材 料

- 白纸、画布或者涂有底料的成品丙烯画布
- 10号圆头画笔
- 调色板
- 水
- 丙烯颜料媒介剂

颜 料

- 原色钛
- 土黄
- 酞菁蓝
- 群青
- 马尔斯黑
- 二氧化紫
- 镉橘
- 钛白

也试试这些吧

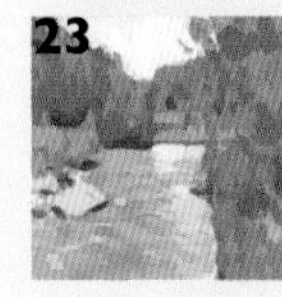

“近似色”指的是在色彩上彼此相邻的两个色彩。限制所使用的颜色范围可以自然地绘制出更具统一性和协调性的作品。然而，严谨的近似色组合会产生一个问题——它们往往会使得作品在颜色方面显得过于单调。而解决这个问题的最佳方法就是选择那些少量的处于色相环对立面的颜色，我们将它们称为“互补色”。

1 首先用稀释的混合原色钛对画布进行着色。等颜料变干以后，使用土黄来描绘树木的基本轮廓。尽量不要让树木显得过于呆板或僵硬，不要让它们过于规整。

2 开始进行近似色组合。使用土黄来描绘草坪区域，并为树木添加一些细节。严格来说，土黄在色相环上的位置并不属于蓝色/绿色的范畴，但是它能够在你绘制其他部分时有效地统一那些颜色。

3 当颜料变干以后，使用土黄和酞菁蓝调和出绘制草坪所需要的颜色。然后以半透明釉质的方式来应用这种色彩，并让一些土黄显露出来。

4 现在需要调和出绘制水所需要的石蓝色，方法是将酞菁蓝、群青、马尔斯黑以及原色钛四种颜料添加到上一步的绿色中去。这种绿色能够协调不同的色彩。此外还需要注意的是，草地和水在颜色和色彩明度方面是十分相近的。

5 在第四步中的混合颜料中添加马尔斯黑，并用新的混合颜料画出树木所形成的明显倒影。为了平衡画面的蓝绿色，需要混合二氧化紫和少量镉橘，并且使用这种色彩绘制树木的节点。最后用钛白和原色钛的混合颜料清除树木上多余的笔画。

使用近似色是协调画面的好方法，而添加互补色，能够帮助你保持画面的色彩平衡。

33 使用夸张的色彩：表现主义风景

材料

- 白纸、画布或者涂有底料的成品丙烯画布
- 10号圆头画笔
- 调色板
- 水
- 丙烯颜料媒介剂

颜料

- 中镉红
- 钴蓝
- 浅镉黄
- 群青
- 原色钛
- 土黄
- 钛白

也试试这些吧

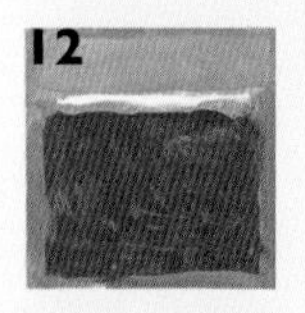

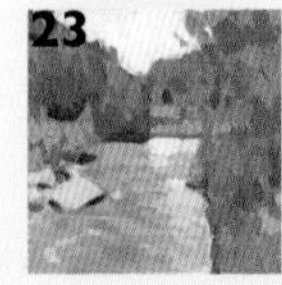

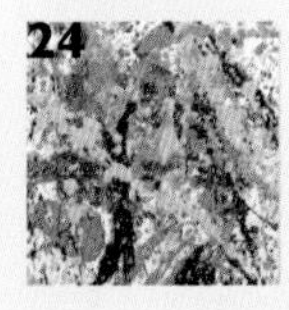

艺术家往往会以为画熟悉的事物，需要准确地运用那些来自自然（或者影像图片）中的颜色。与他们的想法相反，对于那些愿意尝试自然中不同色彩的艺术家来说，还是存在着很多的颜色可能性。采取加重饱和度或者夸大所看到颜色的方法，能够让作品显得更具描述性和表现性。本练习就是夸张运用了那些来自自然中的色彩和形状。

1 首先用中镉红对画布进行不透明的涂层，并让颜料彻底变干。然后用钴蓝勾画出抽象风景画的形状。

2 用浅镉红和群青混合而成的鲜绿色绘制出画面中的草地区域。要保持笔触的随性和灵活性。同时在此过程中，要让底层的红色有意地显露一些，以增强画面的效果。

3 将浅镉黄、原色钛和少量土黄相混合，并用新的混合颜料描绘出第二步中所绘形状的下方部分，同时让其与右侧的绿色区域有部分交叉互融的效果。

4 为了增加各个块状之间的趣味性，可以用原色钛描绘出其中一部分的轮廓。并用同样的颜料画出地平线上方的云朵。以这样的方式重复使用一种颜色，可以有效地统一画面的顶部和底部。

5 用钴蓝和钛白的混合颜料描绘出天空中的一些斑点。另外，将丰富的红色、黄色、绿色和紫罗兰色放入调色板中进行调和，然后绘制出前景中的块面形状。可以通过变亮、变暗和加重饱和度的方式，对各色块的颜色进行自由的调节。

将大自然的色彩进行适当调整，可以让画面富有强烈的表现性。

第四章

面与形的表现

本章中的案例练习，将提高你在表现各种物体和表面方面的技巧。你将学习如何画出玻璃、金属、木头、大理石、纸、肌体以及其他更多的各种效果。

34 画简单的高光：灯泡

材料

- 白纸、画布或者涂有底料的成品丙烯画布
- 8号圆头画笔
- 调色板
- 水
- 丙烯颜料媒介剂

颜料

- 土黄
- 原色钛
- 赭石
- 马尔斯黑
- 钛白

也试试这些吧

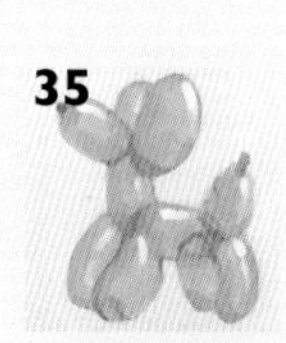

不同的表面，对光的反射和吸收亦不同。对于有反光效果的表面而言，高度光洁的表面将产生明亮而刺眼的反光，而柔软的表面则产生柔和的反光。在本练习中，你将要画出两种不同表面的反光效果：玻璃和金属。在后面的案例练习中，你还会再次画到这几种性质的表面。

1 用土黄画出灯泡的基本外形。在准备的过程中，你可以采用第一章“转移绘画”的技法（参见28～29页）。不要过于纠结于是否画得十分完美，因为在后面的步骤中，大部分外轮廓线条都将会被颜料覆盖。

2 用原色钛给灯泡上色，但留出其底部的金属部分。用原色钛和赭石调和，沿着灯泡外边缘，涂出画面的背景。待干燥5分钟后，开始下一步骤。

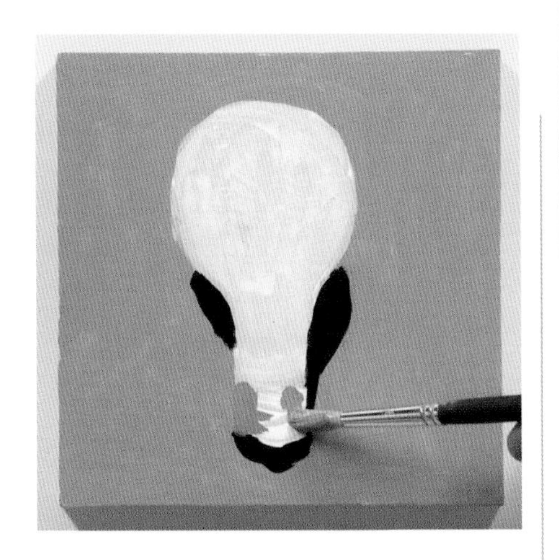

3 用马尔斯黑在灯泡后画出阴影，让其有突出表面的立体感。在钛白上加入一点马尔斯黑，给金属底座的两侧边上色。留出底座中间部分，待第五步中上高光。

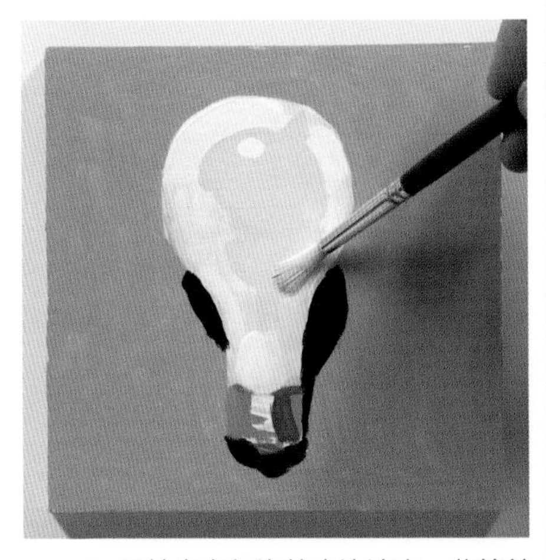

4 用钛白在灯泡的内边涂出一些简单的形，同时在顶部画出小圆点。这样可以画出灯泡的反光效果。在原色钛中加入一点点马尔斯黑，涂在灯泡的内部。再用钛白在灯泡金属底座上画出反光高光。

5 待前面步骤所涂的颜料干燥后，用原色钛给灯泡薄薄地上一层透明色。但注意不要盖住前面所画的高光。这层透明颜色可以统一画面的色调，也让整只灯泡的材质看起来更统一。

用来制作灯泡的玻璃通常都是不透明的。在后面的一些案例中，我们还将介绍一些表现透明表面的技法。

35 表现透明物体：充气狗

材料

- 白纸、画布或者涂有底料的成品丙烯画布
- 8号圆头画笔
- 调色板
- 水
- 丙烯颜料媒介剂

颜料

- 原色钛
- 天蓝
- 钛白
- 群青

也试试这些吧

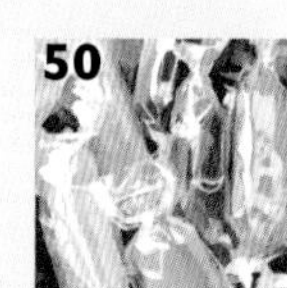

画充气动物是一件非常开心的事，不仅仅是因为这个主题会唤起我们的童年记忆，同时也是因为它是我们学习基础技能的好方法。在本练习中，你不需要完成复杂主题所需的娴熟技法；你只用几种基本的椭圆形和非常少的颜色，就可以画出一只充气动物，如一只狗。需要牢记的是，你描绘的是个圆鼓鼓的物体，所以要避免使用直线条。完成此画作后，你可以试试用其他的颜色，画出不同的充气动物。

1 先用原色钛给画面上一层薄薄的底色。再用天蓝和原色钛调和，画出不同的椭圆形，组合成充气狗的基本廓形。

2 在大量钛白中调入一点点天蓝，在这些椭圆形内部填色。注意露出一些先前画上去的轮廓线条，这样可以知道每一个椭圆的基本形和所在位置，以便在第三步中再次对其进行勾绘。

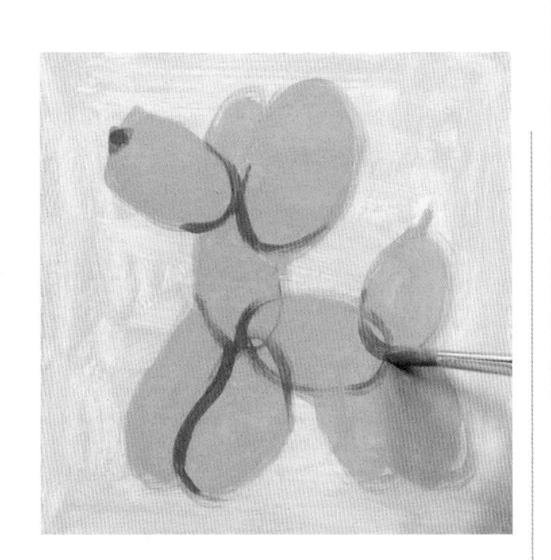

3 在第二步已经调好的颜料中，加入一些天蓝。调制群青，将最初的椭圆形轮廓再勾绘上色。勾出这些内部和外部轮廓的线条，将有助于体现出这些充气形态的透明效果。

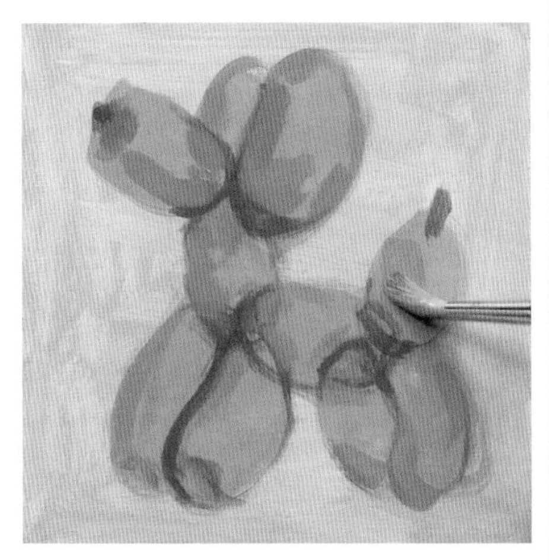

4 用钛白和天蓝调和，让其比椭圆内的颜色深一些，同时又比椭圆外轮廓线浅一些。用这种颜色在各个椭圆充气体的左侧、下部画出阴影效果。待干燥30分钟。

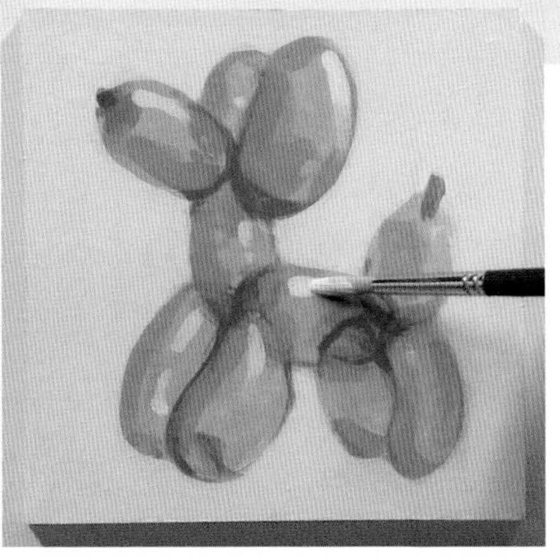

5 将天蓝、钛白以及丙烯颜料媒介剂调和，使其非常稀薄而透明。将其涂刷于整个充气狗上，以统一色彩和色调。将原色钛和钛白调和，给背景上色。最后用钛白涂出高光。

完成后，可以试一下画出一系列的、不同的充气动物，将它们一起展示出来吧。

36 暖色光源，冷色阴影：礼品盒

材料

- 白纸、画布或者涂有底料的成品丙烯画布
- 8号圆头画笔
- 4号榛形画笔
- 调色板
- 水
- 丙烯颜料媒介剂

颜料

- 中镉红
- 原色钛
- 深茜红
- 马尔斯黑
- 钛白
- 镉橘色

也试试这些吧

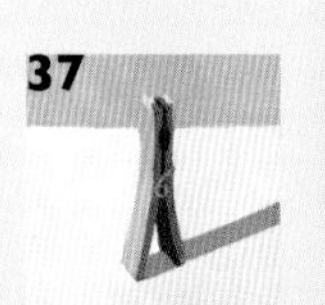

画物体时，光源通常是暖色调的，因为它一般来自于灯光或者太阳。而阴影反射出的四围物体，通常是冷色调的。本练习与第8个案例（参见50～51页）十分相似。只是在这个案例中，你需要给礼品盒上色，并加上缎带蝴蝶结和阴影。你会注意到，礼品盒就是一个外面缠有结带的、简单的正方体。在本案例中，光源来自右侧。

1 使用8号圆头画笔，将中镉红调得稀薄一些，勾画出礼品盒的外形，加上缎带、蝴蝶结，并在礼品盒后面画出一条水平线，以标示出桌面。

2 在中镉红中加入非常少量的原色钛，使用4号榛形画笔，给礼品盒上色，缎带和蝴蝶结部分空出来。待干燥10分钟后，再用深茜红和中镉红调和，给礼品盒的左侧面上色。

3 在大量钛白中加入非常少量的马尔斯黑，调和成浅灰色。使用8号圆头画笔，将调好的颜色涂在缎带和蝴蝶结的阴影处，以及桌面上部的背景区域内。

4 在钛白中加入非常少量的原色钛调和，涂在缎带和蝴蝶结上的亮部。将原色钛和中镉红调和，涂在礼品盒的右侧面。每次上色时，都对最初所绘出的线和形作出必要的修正和调整。

5 将钛白和马尔斯黑调和，画出礼品盒落在桌面上的阴影。使用同样的颜色，沿着盒盖的下边线勾一下，画出阴影。用镉橘、中镉红、丙烯颜料媒介剂调和，给画面中的所有红色区域上一层薄薄的透明层，来统一色调。

将暖色光与冷色调的阴影结合在一起，可以让你的画面产生让人愉悦的对比效果。

37 表现盘错的细节：衣夹

材料

- 白纸、画布或者涂有底料的成品丙烯画布
- 8号圆头画笔
- 6号圆头画笔
- 调色板
- 水
- 丙烯颜料媒介剂

颜料

- 土黄
- 原色钛
- 赭石
- 群青
- 浅镉黄
- 马尔斯黑

也试试这些吧

6

8

14

34

36

38

画一个诸如衣夹这样的日常用品，似乎是一个很简单的任务。其实不然，其细窄的外形和盘错的部分也是十分具有挑战性的。如果你觉得难以准确地在画面上直接画出衣夹的话，可以采用第一章“转移绘画”的技法（参见28～29页）。画线条和上色时，都尽可能地准确些。前面步骤的精确，将有助于避免过多的涂改和修正。

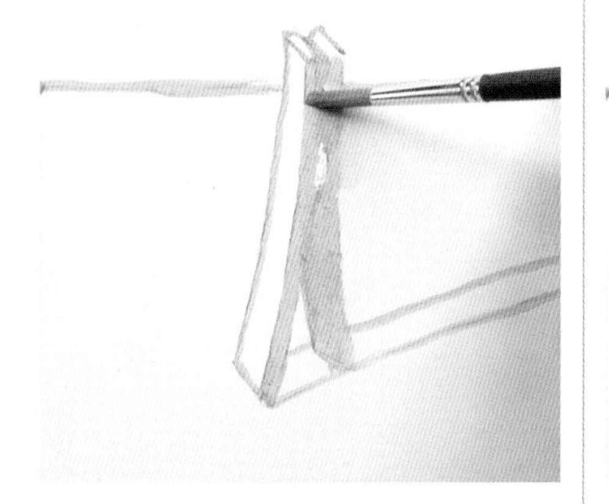

1 用土黄和非常少量的原色钛混合，颜料调得稀薄些。用8号圆头画笔，在画面的中间部位画出衣夹的大致外形。在画面上绘出一条水平直线，以标示出桌面。

2 在赭石中加一点群青，调和成深棕色。用调出的颜色画出衣夹的中线及其左右两边。接下来，将土黄、原色钛，以及一点点赭石调和。用调出的颜色，画出衣夹的阴影区域以及其落在桌面上的阴影。

3 用浅镉黄、土黄和原色钛调和，画出受光的衣夹左侧面。再用同样的颜色给背景上色。如果颜料涂出来了，你还有机会在接下来的步骤中修改一下。

4 在钛白中加入非常少量原色钛，将混合而成的颜色涂在桌面，并在衣夹的顶部点涂一些，以体现高光效果。再用此颜色将未覆盖的表面笔触清理一下。

5 用赭石、土黄和原色钛调和，使用6号圆头画笔再给衣夹侧面上一次色。在原色钛中加入一点点马尔斯黑，涂出衣夹落在桌面上的阴影。

在你的家中，有许多像这样的、不起眼的小物体，都可以用来当作绘画的主题。从你的废物抽屉和柜子里，发现更多特别的画作主题吧。

38 体现木质：椅子

材料

- 白纸、画布或者涂有底料的成品丙烯画布
- 4号榛形画笔
- 4号平头画笔
- 铅笔
- 调色板
- 水
- 丙烯颜料媒介剂

颜料

- 土黄
- 马尔斯黑
- 原色钛
- 赭石
- 钛白

也试试这些吧

8

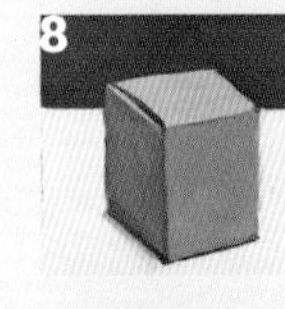

11

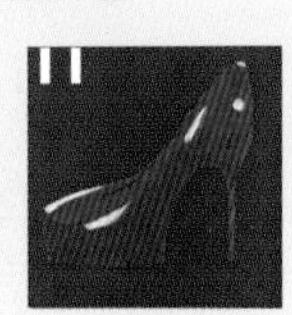

14

28

37

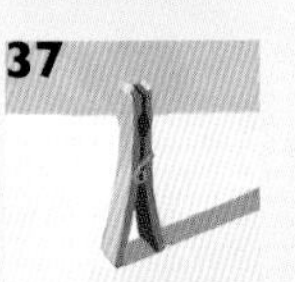

39

通过先画出物体，再表现表面肌理的方法，画出一些比如木头、岩石等有表面肌理变化的物体，通常是非常麻烦的。更有效的方法是，先画肌理表面，然后再画其背景空间。在本案例中，你将先用粗糙潦草的笔触，强调出木质椅子的纹理，再用涂绘背景的方式，“抠”出椅子的轮廓外形。

1 用铅笔轻画出椅子的位置和大致外形（参见第一章“转移绘画”，28~29页）。你需要用其作为椅子各边缘线条的参考。使用4号榛形画笔，用土黄画出木纹肌理。注意一定要用粗略的笔触。

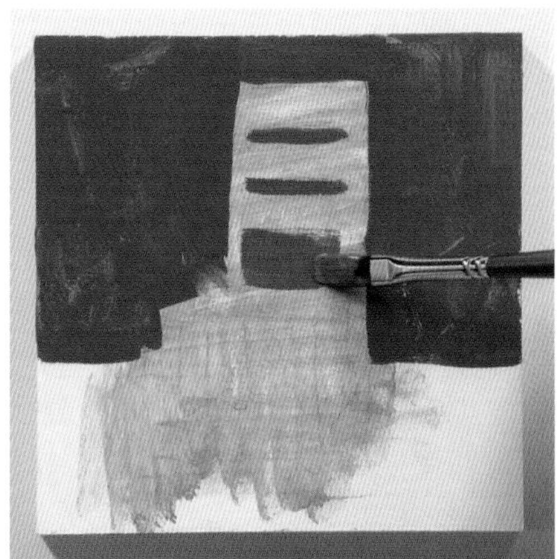

2 第一步中所涂的颜料待干燥5分钟。用原色钛和马尔斯黑调和，使用4号平头画笔，用阴涂的方法画出椅子的背景。平头画笔笔触边缘非常尖锐、方正，是此时理想的使用工具。

3 使用平头画笔、钛白，仍然用阴涂的方法画出前景处的背景，并“抠”出椅子的腿和横梁。注意别涂到椅子表面外，以避免遮住椅子的肌理效果。

4 使用榛形画笔，给椅子的阴影暗部薄薄地涂刷一层赭石。涂这层颜色时，也要注意使用粗略的笔触，以保持木纹的肌理效果。同时要让下面的土黄露出窄窄的边，以表现椅子明面部分。

5 最后用平头画笔，给背景上一层黑色，并将前面各个步骤中所遗留下来的笔触清理干净。用原色钛和一点点马尔斯黑调和，薄薄地涂一些在椅子的底部，以强调阴影。

使用丙烯颜料绘制有肌理变化的表面时，通常比较简单的方法是：先画肌理，再用阴涂的方法给背景上色，从而“抠”出物体外形。

39 通过层涂创造肌理效果：老船

伤痕累累的老旧物体，是极有吸引力的绘画主题。你可以用丙烯颜料涂绘出这种效果。在本案例中，你要画一只阳光照耀下的、沙滩上的老船。开始时，先涂出底层的锈色，再慢慢地一层层地给船上色，让底层的腐锈色效果从下面显现出来。

材料

- 白纸、画布或者涂有底料的成品丙烯画布
- 10号圆鬃画笔
- 调色板
- 水
- 丙烯颜料媒介剂

颜料

- 原色钛
- 土黄
- 赭石
- 钴蓝
- 马尔斯黑
- 浅蓝
- 钛白

也试试这些吧

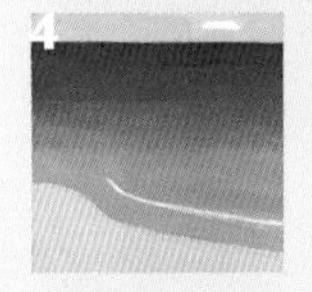
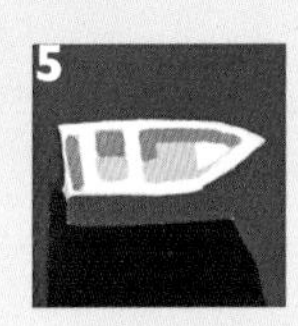
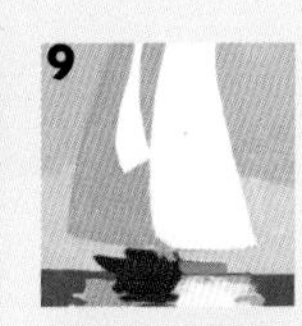
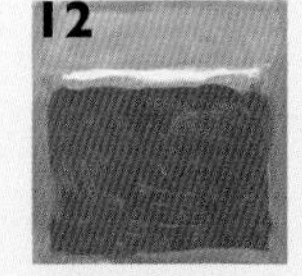

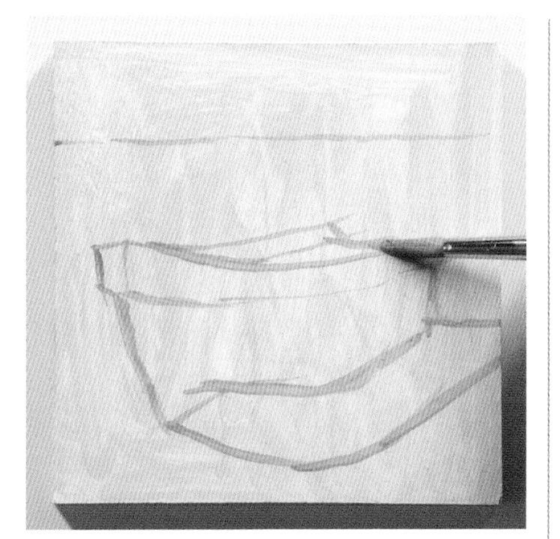

1 用原色钛薄薄地给画面上一层底色。待其干燥后，用土黄在画面中心位置勾出船的大致形态，并画一条水平直线以标示地平线。若需要的话，你可以采用第一章“转移绘画”的技法（参见28～29页）帮助你画船。

2 用土黄随意地在船体表面点涂，以画出木头的腐锈效果。再用赭石同样随意地点涂出表面腐锈效果。紧挨着船体的下面，用赭石给船体落在沙滩上的阴影涂上一层暖色调的底色。

3 用干笔刷，一层层涂色。用钴蓝画船的边缘，再用原色钛、钴蓝和马尔斯黑调和，画出船体的侧面。慢慢地上色，并让最底层的腐锈风化效果显现出来。

4 用浅蓝和钛白混合调色，在受阳光直射的船体上部，添加出木质条板上的一些细节部分。用马尔斯黑画出船底的阴影，并添加船上的座位等细节。

5 用第4个案例（参见42～43页）中所应用的技法，画出海水。使用浅蓝，沿地平线附近位置上色。随着其与沙滩的接近，逐渐加入钛白。用与船体侧面相似的灰色，画出天空。用原色钛给沙滩上色。

用粗糙、干枯的笔触，可以很容易地画出风干腐蚀的老旧肌理效果。

40 金属面的发光：锡杯与樱桃

材 料

- 白纸、画布或者涂有底料的成品丙烯画布
- 4号榛形画笔
- 调色板
- 水
- 丙烯颜料媒介剂

颜 料

- 原色钛
- 镉橘
- 钛白
- 马尔斯黑
- 中镉红

也试试这些吧

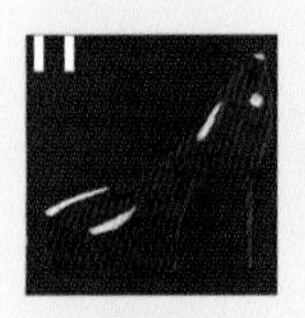

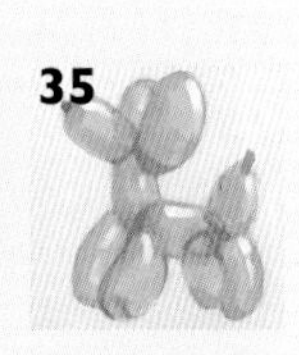

学习如何画一些如金属、玻璃和塑料等可反光材料，是一件颇费功夫的事情。在一个二维平面上看到镜像反射效果，也是蛮奇妙的。在脑中牢记，一个可反光的表面可以像镜子一样照出周围物体。在大多数情况下，它可以照出下面的支撑物体，以及附近所有的其他东西。为了强调这一反光效果，你要在杯子上画出明显的樱桃的镜像。

1 用镉橘和原色钛调和，调得稀一些，画出杯子、樱桃的轮廓线条，以及桌面的后边线。记住，锡杯是一个简单的圆柱形，而樱桃是一个简单的球形。尽量将杯子画得左右对称。在杯子后面画出其落在桌面上的阴影。

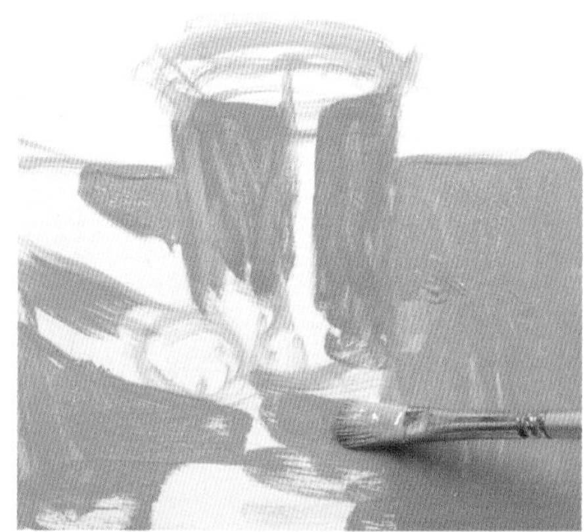

2 在钛白中加入非常少量马尔斯黑，涂在桌面以及杯子的外侧（中间空出来，以体现高光效果），樱桃和杯子的阴影区域不要涂。因为杯子是高反光性的，其颜色将与四周的颜色非常接近。让樱桃保持画布本身的白色。

3 用中镉红给樱桃涂色。在杯子上画一小块红，以表现出樱桃在杯面上的反射效果。接着，在马尔斯黑中加入一点原色钛，调和成深灰色，将其涂于背景，并画出杯子和樱桃的阴影。

4 用钛白和中镉红调成类似粉红色，涂于樱桃右边。用钛白在樱桃上加一小点高光。用钛白和马尔斯黑调和出深浅不同的灰色，对杯子进行进一步的细化涂色。

5 用原色钛和马尔斯黑进行调和，再涂一遍背景、杯子和樱桃的阴影区域。用钛白、原色钛和马尔斯黑调成中灰色，涂于桌面。最后用薄薄的中镉红给樱桃再上一次光。

保持此反光物体与周围色彩的一致性，是画反光性表面的基础。

41 有色表面的反光：蓝色杯子

在本案例中，你要画一只有色玻璃杯子。表现高反光表面时，记住抛光的平滑表面将产生明显的反光效果，这点很重要。玻璃、硬质塑料和抛光的金属表面，都会非常清晰地反射其周围物体，就如镜面一样。因此尤其要注意，画出的反射与物体的真实形态是十分相似的。

材料

- 白纸、画布或者涂有底料的成品丙烯画布
- 4号棒形画笔
- 4号圆头画笔
- 调色板
- 水
- 丙烯颜料媒介剂

颜料

- 群青
- 原色钛
- 天蓝
- 钴蓝
- 镉橘
- 中镉红
- 马尔斯黑
- 钛白

也试试这些吧

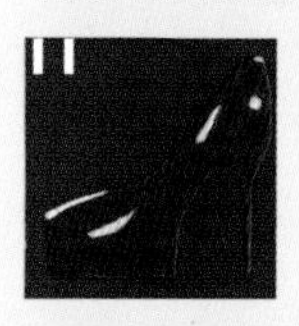
11

34

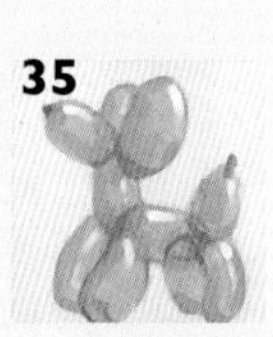
35

40

42

50

1 用群青和原色钛调和，使用4号棒形画笔画出杯子的大致廓形。确保杯子形态左右对称，但不用过于纠结线条的精细，因为后面你还要再次涂色。

2 用天蓝和原色钛调和，涂在杯子上。这个时候要调整好杯子的外形轮廓。在杯口上边缘露出一些先前画上的杯口线条，以表现高光效果。

3 待颜料干燥后，在群青中加入少量钴蓝调和，涂在杯子的深色部位，并沿着杯子颈部和其椭圆形底座，勾画一遍。

4 用原色钛将整个背景覆盖涂刷，隐约地露出桌面上边缘线。这是整理画面笔触痕迹的最佳时机，将前几次上色时遗留下来的笔触痕迹全部刷平。颜料干后，将原色钛和镉橘混合，调一点量即可，将背景的上半部全部涂满。

5 在群青中调入少量中镉红，涂在杯子的内侧面、两侧边以及底座区域。这种暖色调可以使杯子的蓝色与背景的暖色更加融合协调。最后用原色钛、天蓝和少量马尔斯黑调和，涂出杯子的阴影。再用4号圆头画笔，涂一些钛白，表现杯子的高光。

画光滑表面的反光时，要特别注意其周围物体的形态。

42 画透明的表面：玻璃罐

画透明物体容易让人不知所措，因为你不仅要表现物体本身，还要表现你可以看到的另一边东西。在本练习中，你先要画出玻璃罐后面的物体（一个简单的红色背景），然后画罐子，最后再画反光和高光。不必试着去表现每一个细节，找寻其简单的、大致的形态即可。

材料

- 白纸、画布或者涂有底料的成品丙烯画布
- 4号棒形画笔
- 调色板
- 水
- 丙烯颜料媒介剂

颜料

- 中镉红
- 钛白
- 马尔斯黑
- 浅镉红
- 深茜红

也试试这些吧

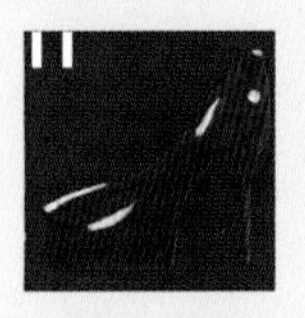

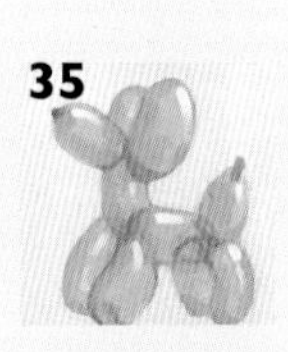

1 用一层薄薄的中镉红作背景，并勾画出罐子的位置和大小。画一条中线，就可以很容易地将罐子的形态画得对称了。在这一步骤中，不要太纠结于精确性，因为后面你还有机会作进一步的调整。

2 在钛白中加入一点点马尔斯黑，调得稀一些，涂在罐子的里面，以及罐子的阴影区域。涂色时，请保持笔法的活泼和松散。在最后的步骤中，再画得严谨仔细一些。

3　用不透明的浅镉红，以“抠出”（参见第11个案例，56~57页）的方式画出罐子。边线尽量准确精细些，这样后面就不用再去修了。

4　现在该画从玻璃罐透过的背景色了。在第三步所调和的红色中，加入极少量的、第二步中调好的灰色。用混合好的这一颜色，涂出你透过玻璃罐所看到的、所有的红色之处。在背景区域，用深茜红画出罐子落下的阴影。

5　用钛白、马尔斯黑以及微量中镉红，调出各种不同深浅的灰色，最后修饰罐子。清理背景和桌面上的笔触等痕迹。用钛白画出高光。

记住只要抓一些大致的简单形态，而不要去抓那些细节。你将会发现，使用这种方法，你的作品会更加活泼生动，同时也比较省力。

43 表现多块面：皱纸团

材料

- 白纸、画布或者涂有底料的成品丙烯画布
- 10号圆头画笔
- 4号平头画笔
- 调色板
- 水
- 丙烯颜料媒介剂

颜料

- 土黄
- 马尔斯黑
- 钛白
- 原色钛

也试试这些吧

8

10

14

20

28

48

在画一个多面物体时，挑战之一便是让这些表面的转折变化呈现出来，即使物体的各个面之间的转折变化并不是十分明显。为保持画面的和谐，让相邻各面的明度差异不要太大（例如，不要让极暗面和极明面相邻）。注意观察光源：直接受光面是最亮的，而随着表面的转折，其表面将会逐渐变暗。

1 使用10号圆头画笔，用土黄大致画出皱纸团的基本廓形，并标示出一些主要的、面与面之间转折线的位置。这一步使用暖色调打底，是为了平衡接下来步骤中所使用的较冷的灰色。

2 用马尔斯黑、钛白以及原色钛（可以让调出的灰色稍微暖一些），调成中灰。用圆头画笔，在刚才已经涂出的纸团内部的一些主要折线上，再覆盖一层中灰色。待干燥5分钟。

3 在调好的中灰色中，再加入一点点钛白和原色钛，调成浅中灰色，涂在一个个的折面上。使用圆头画笔涂色，每一个面上都只画一笔即可。画的时候，可以试着将眼睛眯起，观察和审视体形内部的各种关系。

4 用4号平头画笔、钛白画出皱纸团中的一些亮面。平头画笔画出的线条，干脆、边缘利落，尤其适合表现纸团的折面和折线段。

5 用颜料调出深灰色，使用平头画笔，画皱纸团底部的皱折。在调出的深灰色中加入一点点原色钛，调出中深灰色，再涂一遍面与面之间的折线段，并画出纸团下面的水平阴影线。同时用此颜色涂出背景。

画出有众多平面转折变化的物体，可能是一项让人头疼的任务。只要记住，每一个面与光源的关系，或明或暗，取决于其受光是否直接。

44 画大风景：山景

材 料

- 白纸、画布或者涂有底料的成品丙烯画布
- 10号圆头画笔
- 4号平头画笔
- 调色板
- 水
- 丙烯颜料媒介剂

颜 料

- 土黄
- 浅镉黄
- 马尔斯黑
- 原色钛
- 二氧化紫
- 镉橘
- 钛白
- 钴蓝

也试试这些吧

7

22

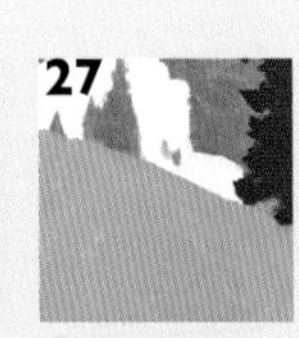
27

29

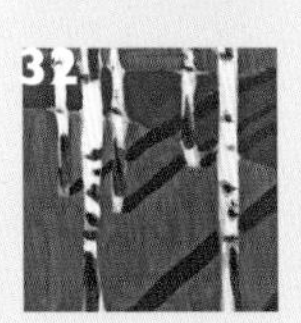
32

33

面对宏伟的风景时，我们几乎都会产生庄严而肃穆的感情。纵观历史，艺术家们已经将这种情感表现于他们的画作中。不过，由于画布的尺寸所限，你必须要使用一些技巧，才能在一个如此小的空间里展示广阔的景象。在前景中使用饱满的色彩来绘出细节，而在远景中使用灰色展现简单的轮廓形态。这样一来就可以创作出一个广阔无垠的空间效果。

1 使用10号圆头画笔，用暖色调的土黄作底色，布局整个构图。正如你从前面的案例所学的，画室外风景时，加入暖色调可以平衡自然界中的绿色、蓝色等偏冷色调。

2 在马尔斯黑中加入一点点浅镉黄，调成深绿色，作为树木的底色。用纵向划涂的方法，涂出树的外形。让刷毛稍微分散叉开些，用笔刷画出干枯的线条，以体现前景中的草丛。

3 将极少量的马尔斯黑、二氧化紫和镉橘加到原色钛中，调成偏暖的浅紫灰。使用4号平头画笔，画出远处的岩石山峰，先前构图中所标示的白雪区域空出。用同样的颜色，在前景中画出一些岩石。

4 由于山峰海拔高，其天空通常也又蓝又亮。将钴蓝和钛白混合调和，用4号平头画笔画出天空。将先前各个步骤中所遗留下来的粗糙边线等，全部修饰一遍。

5 用浅镉黄和马尔斯黑，调成浓郁的绿色，使用10号圆头画笔，再给树木和草丛上色。树林和前景岩石的阴影区域，使用马尔斯黑上色。最后用钛白将云彩再涂绘一遍。

通过将画面分为色彩丰富的前景、中景和蓝天等几个部分的方法，你就可以画出看似宏大的空间效果了。

45 画复杂的景象：古镇风景

可以运用一些策略方法，将复杂的景象简化统一：尽量统一明度和色调，同时略去一些不必要的细节。在本案例中，你要画的是一幅鸟瞰图，描绘古镇中一条热闹的街道。人、窗户和屋顶等等这些所见的景象，都要统一协调。可以试着将这些色彩、明度以及形态尽量统一，而不必强调它们之间的差异。

材 料

- 白纸、画布或者涂有底料的成品丙烯画布
- 6号圆头画笔
- 4号平头画笔
- 调色板
- 水
- 丙烯颜料媒介剂

颜 料

- 钛白
- 马尔斯黑
- 镉橘
- 中镉红
- 原色钛
- 赭石

也试试这些吧

7

13

22

25

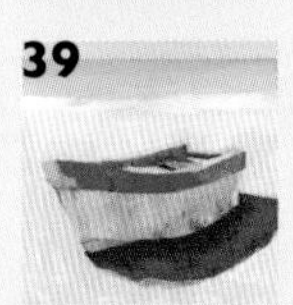
39

49

1 用马尔斯黑和钛白，调出中灰色，将其涂于整个画布上。在已有底色的画布上开始绘画，将有利于画面整体色调的统一。待底层干燥后，使用6号圆头画笔，用稍微深一些的灰色勾出房屋建筑的外形轮廓。

2 在已调好的灰色中，加入马尔斯黑，进一步细化房屋建筑，并画出街道上行人的廓形。房屋线条画得粗些、明显些，因为此层也在为后面的绘制作旧色打底。让此层颜料干透。

3 使用4号平头画笔，用纯钛白涂画出建筑的墙面。这种画笔十分适合用“抠出”的方法来画出窗户和门这样方正的几何形。

4 为画面增加一些色彩。将中镉红和镉橘调和，再在原色钛上加入非常少量的赭石调和。将这两种颜色交替间隔，涂在建筑的屋顶上。使用画笔时，力道稍微大一些，使得底层的颜色透出些许，画出一种旧旧的感觉。

5 最后添加一些基本细节，比如房屋的窗、棱等。在原色钛中加入极少量的马尔斯黑，涂于街面，避开人影，可以体现出街道湿漉漉之感。

简化复杂景象的秘诀在于，省略不必要的，仅体现基本细节。

46 复杂的弧形笔画：大象

材料

- 白纸、画布或者涂有底料的成品丙烯画布
- 8号圆头画笔
- 调色板
- 水
- 丙烯颜料媒介剂

颜料

- 土黄
- 赭石
- 原色钛
- 马尔斯黑
- 钴蓝
- 浅镉黄
- 群青
- 钛白

也试试这些吧

19

20

25

39

47

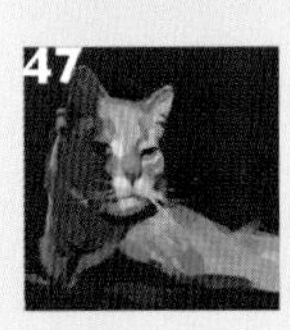

49

采用弧形笔画可以表现出物体的立体形态。在本案例中，你将要画出一头非洲大象粗粗、皱皱的皮肤。画的时候要牢记：用弯弯的弧形笔画表现圆鼓鼓的面，用直直的笔画表现较平的面。在画大象的鼻子、耳朵和躯干时，要特别注意笔画的方向。

1 加入丙烯颜料媒介剂，将土黄调得稀一些，涂出大象的基本形状以及周围其他植物等。画大象躯干时，使用弧形笔画，让其看起来圆鼓鼓的。待干燥5分钟后，再进行下一步的绘制。

2 用赭石画出阴影区域，以及大象皮肤上的褶皱。采用弧形笔画，涂出大象的鼻子、耳朵和躯干。此时还要画出远处的树林。此层的暖调底色，将有利于平衡下面步骤中所加入的冷灰色、蓝色和绿色等冷色调。

3 用马尔斯黑和原色钛混合，调出浅中灰色，开始画大象的皮肤。你可以在调成的中灰色中，加入少量赭石或者土黄，调出涂于皮肤上的不同冷暖的各种灰色。

4 用浅镉黄和钴蓝混合，涂绘出树木和草地。在已经调好的颜色中，再加入极少量的土黄和原色钛，让绿色有些层次变化。在前景区域，用垂直的纵向笔画，表现草丛中的叶片效果。

5 在第四步所调出的绿色中，加入少量马尔斯黑和群青，画出远处树木的阴影。在钛白中加入少量钴蓝调和，画出天空。再用同样的颜色，画出大象臀部的高光。用不同冷暖调的灰色，继续细化大象的皮肤。

用弧形笔画能够体现出形态的变化，可以在一个平面上展现三维立体物。

47 复杂的光影：日光下的猫

在本案例中，你将要画一个难度相对高的主题：一只身体处在半明半暗之中的猫。表现光影的最佳方法是：变化明度，而让色彩保持近似（无论是明面还是暗面）。这就意味着，明处的最暗色也要亮于暗处的最亮色。

材料

- 白纸、画布或者涂有底料的成品丙烯画布
- 4号榛形画笔
- 8号圆头画笔
- 6号圆头画笔
- 调色板
- 水
- 丙烯颜料媒介剂

颜料

- 浅镉黄
- 镉橘
- 土黄
- 中镉红
- 赭石
- 原色钛
- 钛白
- 群青
- 马尔斯黑

也试试这些吧

7

27

44

46

48

49

1 用浅镉黄、镉橘、土黄三色调和，调得稀薄一些，涂在整个画布或画板上，打一层底。这层颜色也将处在光线下的猫毛的底色。再用镉橘和中镉红混合调色，使用4号榛形画笔，用涂背景的方式，“抠出”猫的外形，同时也用这种颜色画出猫身上的暗部。

2 用赭石和一点点中镉红调和，使用8号圆头画笔，画出猫的细部（眼睛、鼻子、嘴巴），耳朵、下巴下部，以及身体上的阴影等。然后用同样的颜料，将背景再涂一遍。

3 用原色钛和钛白调和，使用6号圆头画笔，画出其嘴巴和眼睛附近的浅色毛发。用同样的颜色画出猫的胡须。将群青和赭石混合，使用4号榛形画笔，沿着猫的外轮廓勾一遍，并将背景再涂一遍。

4 将土黄、赭石、原色钛三色调和，并在其中加入一点点群青（群青可以平衡色彩的暖色调），使用6号圆头画笔，画出猫身体毛发上的阴影。记住，此颜色一定要比明亮区域的任何色彩都要暗一些。用浅镉黄和土黄混合，调出不同深浅的色调，涂在猫身体的明亮区域。

5 在第四步最后所调出的颜料中，加一些赭石和非常少量的马尔斯黑，画出暗处身体的大块面阴影（脖子下面、胸部等等）。最后混合赭石和马尔斯黑，将背景再上一次光，强调画面的明暗对比效果。

在任何其他情况下，此处所运用的明暗法则都同样适用。

48 灰色单色画：古典雕塑

材 料

- 白纸、画布或者涂有底料的成品丙烯画布
- 6号圆头画笔
- 调色板
- 水
- 丙烯颜料媒介剂

颜 料

- 原色钛
- 马尔斯黑
- 钛白

也试试这些吧

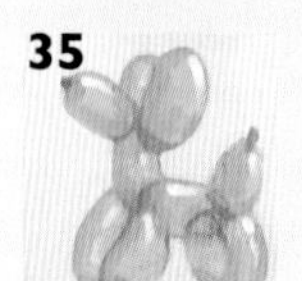

灰色单色画，是指用薄而透明的灰色，一层一层地涂绘，从而体现细微的灰色变化之效果。传统而言，灰色单色画只作打底之用，然后再上彩。不过，人们也常常欣赏其所具有的简洁朴素之美。在本练习中，各种深浅的灰色并不是在调色板中调出来的，而是只用一种中灰色，然后通过层涂绘画的方法，呈现出或深或浅的各种灰色。

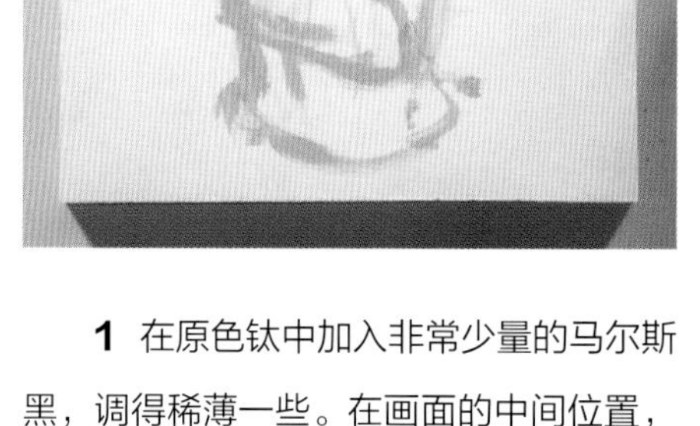

1 在原色钛中加入非常少量的马尔斯黑，调得稀薄一些。在画面的中间位置，大致地画出雕塑的外形位置。将注意力放在大的形态上面，而不必考虑细节。

2 在已调和的颜料中，再加入极少量的马尔斯黑，调成中灰色。画出此雕塑的特征，以及人体的结构。这一步中，不必画得十分精确完美，不过人体的结构还是要尽量画准确一些。

3 待第二步的颜料干透后，用中灰色，在整个雕塑的非阴影区域，刷一层半透明层。后面的步骤中，你还将要在这层“底”上，涂刷白色的透明层。待其干燥后，再进行下一步的绘制。

4 现在开始用钛白在灰色底层上涂上光，以体现光线照射在雕塑上的感觉。你必须让每一层干透后，再涂另外一层。要特别注意，这种技法所体现出的细微的光线变化效果。

5 用几乎透明的钛白继续画出雕塑的受光面。用薄薄的深灰色画出阴影。用纯钛白将雕塑的外轮廓细化清理一下。

继续深入掌握细微的灰调变化吧，直到达到你满意的效果为止。

49 古典风格肖像画：有胡须的男子

材料

- 白纸、画布或者涂有底料的成品丙烯画布
- 10号圆头画笔
- 调色板
- 水
- 丙烯颜料媒介剂

颜料

- 赭石
- 马尔斯黑
- 原色钛
- 钛白

也试试这些吧

20

34

43

46

47

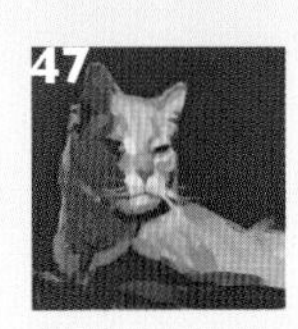

48

在19世纪以前，画家画画时，可选择的颜料是十分有限的。它们基本上多是大地色系（威尼斯红、土黄、棕红和赭石），以及几种非常昂贵的亮蓝色和亮绿色。由于画家所接触到的颜料有限，出自这些时代的画作，其色调都是差不多的。在本练习中，你将使用几种古典大师们曾用的颜色，画一幅古典风格的肖像画。

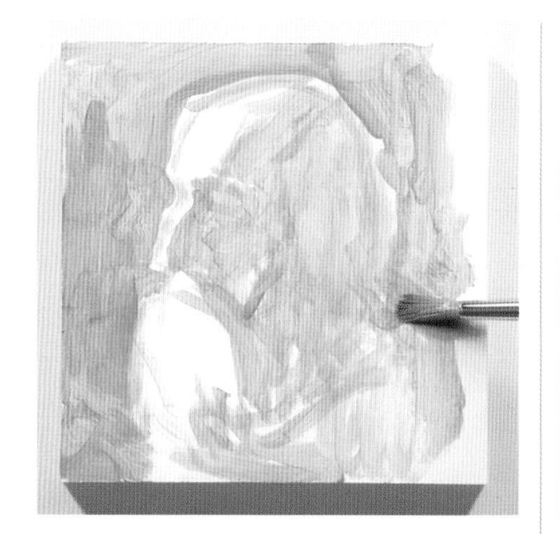

1 用土黄画出人脸的暗部和背景。若你觉得画脸部还有困难的话，可以采用第一章“转移绘画”的技法（参见28～29页）。放置数分钟，待其干燥。

2 用赭石画出阴影。在人的前额、鼻子和胡须部位，有意露出第一步所涂的土黄，以增加暖光效果。后脑位置的头发上也露出一些土黄。

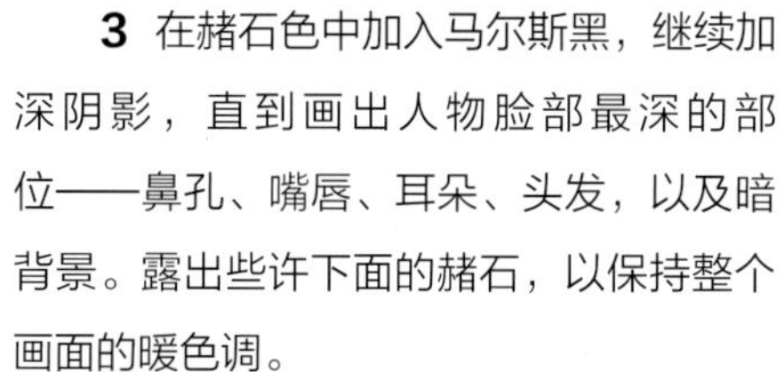

3 在赭石色中加入马尔斯黑，继续加深阴影，直到画出人物脸部最深的部位——鼻孔、嘴唇、耳朵、头发，以及暗背景。露出些许下面的赭石，以保持整个画面的暖色调。

4 用赭石和马尔斯黑这两种颜色分别涂绘，对人的细部特征作必要的调整和修饰。用原色钛和马尔斯黑混合成灰色，加一点在头发、胡须和眉毛上。在这一步骤中，要保持耐心，这些细部调整可能需要较多时间。

5 用原色钛和钛白调和，在前额、鼻子和胡须上画出最亮的高光。用最深的颜色画出一些最暗处，从而强调头部强烈的明暗对比效果。

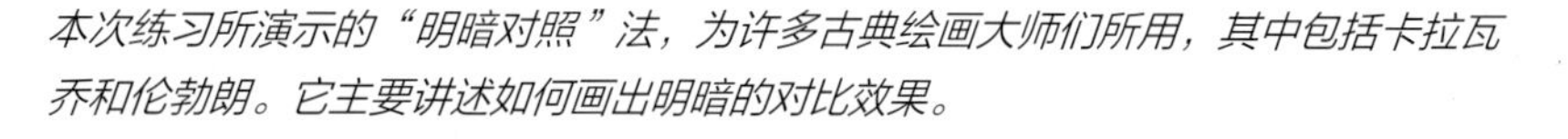

本次练习所演示的“明暗对照”法，为许多古典绘画大师们所用，其中包括卡拉瓦乔和伦勃朗。它主要讲述如何画出明暗的对比效果。

50 画精巧的细节：糖果

材料

- 白纸、画布或者涂有底料的成品丙烯画布
- 6号圆头画笔
- 4号圆头画笔
- 调色板
- 水
- 丙烯颜料媒介剂

颜料

- 原色钛
- 土黄
- 浅镉黄
- 天蓝
- 中镉红
- 钛白
- 马尔斯黑

也试试这些吧

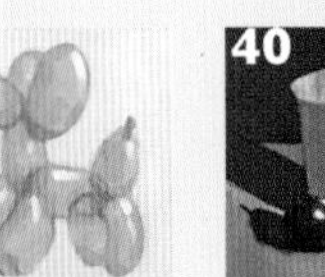

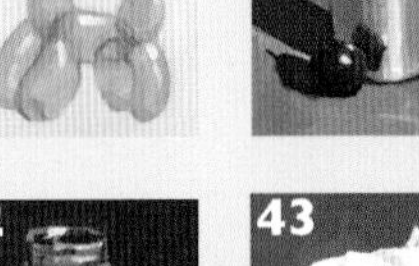

本书中的每一个案例画作几乎都遵从尽量简化的原则。不过，本幅作品，你将要画出有精巧细节的、包有糖纸的一堆糖果。通常的步骤，都是从简单而基本的形，再到复杂而特别的细节。但是，这一次我们直接画细节。用恰当的方法，画得慢一些，就不会被这些繁琐细节搞得手足无措了。

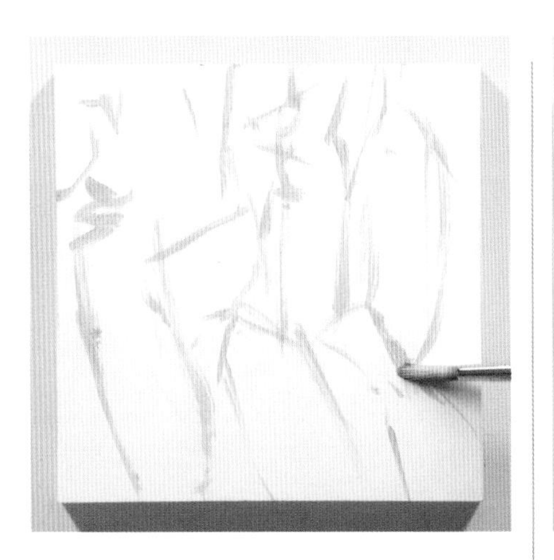

1 将土黄和原色钛调和，使用6号圆头画笔，粗略地勾画出每一颗糖果的大致位置。如果你觉得画起来不是很得心应手的话，可以采用第一章“转移绘画”的技法（参见28~29页）。

2 使用6号圆头画笔，用浅镉黄、天蓝、原色钛、中镉红分别涂出糖果的色彩，并注意露出一些底层画面的白色，以体现糖纸上的高光。将背景定为红色调，用中镉红和马尔斯黑调和，避免与糖果本身的颜色相同。

3 画好每一颗糖果都需要三个主要步骤：第一，上色（黄色、蓝色、绿色、米色或者红色）；第二，画出亮部；第三，画出塑料糖纸的高光。画的时候，各个步骤要区分开来，比如纯白色仅仅只用来表现糖纸的高光，而在糖果的其他部分就不要再用了。

4 使用4号圆头画笔，用纯钛白再加强一些糖纸的高光。因为光亮的塑料纸反光效果是非常明显而强烈的。可能需要涂2~3次，纯白和高光线性才能明显地表现出来。

5 用原色钛和马尔斯黑混合，调成偏暖调的灰色，画出两头拧转型的塑料糖纸。仔细地检查一下，相邻糖果颜色在每一张塑料糖纸上的镜像反光效果。要牢记的是，每一个可反光表面都将会映射出其周围物体的颜色。

丙烯画适合于体现物体的硬朗边缘。如果你有时间和精力想进一步探究的话，可以借助实物的摄影图片，画出更加贴近真实的效果。

专业术语

丙烯：1.一种源自石油化工产品的聚合物树脂（一种塑料），可以以多种形式存在，包括有机玻璃板及服装。2.一种可溶于水的颜料，其中的色素是通过丙烯酸树脂黏合剂来实现缓凝的，因此使得颜料具有可调和性和附着力。干燥后可变成坚硬、耐用、防水的塑料薄层。

直接画法：一次画完，不用打底的绘画技法。

画布： 1.一种纺织品，可以是棉、亚麻、大麻、粗麻布、棉布、帆布等各式材料，固定在画框上，从而在上面绘画。2.任何可以作画的表面，如纺织品、木头、板面。3.正在创作中的画。

色彩浓度：有彩色，由各种颜色组成。描述颜色的强度和色彩的饱和度。

互补色：在色环上处于对立位置的颜色。放置在一起时，都会映衬出对方的高色彩强度，混合后又可相互抵消。

构图：对画中所有结构要素的安排，包括正负形、水平线和斜线、明暗面和色彩模式。

冷色：色环上的蓝、绿、紫部分。它们的出现会减弱画面的背景。

双色系、三色系、四色系：在色环上，由两个、三个、四个颜色平均分布的色系。

色釉：1.轻轻地覆盖在另外一个颜色上的透明颜色，从而改变其色调或让其表现得更有深度。2.一种可以增加画面透明度和表现性的丙烯颜料混合媒介剂，可以是无光或者有光的。

颗粒化：在过度稀释的颜料中所包含的色素颗粒，以表现出画面的肌理效果。

纯灰色画：用灰色来形成画面的结构和色彩明度所使用的底色绘画方法。

暖色：色环上的红色、橙色、黄色部分。它们的出现会增强画面的前景效果。

色相：一是指具体的颜色，二是指颜色的名称。

底色：为了避免作品显得过于明亮或者表面显得过于僵硬，而对底布所进行的初次上色。

色调：亮色调是明亮的、热的、饱和的，暗色调是更中性的。

回调：在一种颜色中加入少量互补色来使之更平和。

固有色：物体表面真实的颜色，可以反射附近的物体。

初稿：用来表示作品基本框架的成型草图。

媒介剂：1.颜料的黏合剂或促进物，一种可以调节颜料处理性能的物质。2.广义的绘画材料，如油和丙烯。

负空间：在画中物体间、周围、以外的空间。这些空间也是作品的一部分，所以，要把它们画好。

不透明：透明的反义，完全不透明的颜料会覆盖住在其底下的颜料图层。

视觉效果：观众所看到的效果。

调色板：1.艺术家的颜色选择。2.盛放绘画颜料的物品。3.可以用调色刀在上面调和色彩的一个平面。

画面色彩：艺术家们表现一个物体时所选择的颜色，这个颜色或许并非是物体真实的颜色。

画面：在不考虑视觉效果的情况下，作品本身所表现出的二维面。

色素：指的是干的、碾磨的粉状颜料，通过与丙烯颜料媒介剂等物质的混合来形成彩色的颜料。现有数千种天然的及人工的色素，每一种都是不同的。

外光派：法语中意为户外绘画，意大利语为alfresco。

原色：红、黄、蓝三色，指无法通过颜料的混合所获取的色彩。

缓凝剂：一种用于减缓颜料变干的丙烯媒介剂。

饱和度：用来表明颜色的纯度和饱和程度。刚从颜料瓶里挤出来的颜料饱和度最高，一旦加入了其他颜色，饱和度就会降低。

间色：由两种原色混合而成，如绿色、橙色、紫色。

阴影：1.通过加入黑色而得到的一种颜色更深的部分。2.在原有的色调上所产生的变化。

染色能力：色素所具有的转化为颜色的能力。

复色：1.在色环上处于原色和间色之间的六种颜色，如黄绿色、橘黄色等。2.由三原色按不同比例合成的颜色，如棕色系（褐色、柠檬色、橄榄色）。

浅色：亮度较低的颜色，可通过加入白色颜料得到。

色调：见下一条语义。往往指的是全部色彩明度范围中较为浅的一半或者是整个明度内容。

明度：和环境相比，颜色的深浅程度。

黏度：颜料的浓稠程度。黏度低，颜料呈流体状；黏度高，颜料则黏稠。

邀请您一起阅读“创意实验室”系列图书

全书含52种创意实践，简体中文版已累计销售15000册，获各大网站读者五星好评。

●每个课程的灵感均来自一位艺术家的艺术创作。

●开放性的课程设置可以让读者反复实践，期待各种不同的效果。

●本书适合全家人一起阅读，也可以作为美术老师的培训教材。

●本书中的课程在学校、培训机构中进行了一遍又一遍探索及尝试，极具实用性和可操作性。

●跟着书中提供的方式，配合简单的材料，就能轻松画出你想要的感觉，动物、风景、人脸什么都能画！

●学习艺术大师的思维方式，无论是达·芬奇、毕加索或是米罗、莫迪里阿尼，只要跟着画，你也能创造出大师式的作品，真是超有成就感！

●52个创意实验包含有美术专业中最重要以及最潮最辣的技法，轮廓素描、盲画、动态速写、信手乱画、边听边涂鸦、换手素描等，让你成为无所畏惧的高手，无论你先前是零基础还是学院派！

本书收录了32个有趣的3D艺术课程，涵盖黏土、织物、彩珠及更多的混合材料运用。

●每个课程的灵感均来自一位艺术家的艺术创作。

●开放性的课程设置可以让读者反复实践，期待各种不同的效果。

●本书适合全家人一起阅读，也可以作为美术老师的培训教材。

●本书中的课程在学校、培训机构中进行了一遍又一遍探索及尝试，极具实用性和可操作性。

●跟着书中提供的方式，配合简单的材料，就能轻松创作出你想要的感觉，自画像、风景什么都能画！

●52个创意绘画实践包含了美术专业中最重要以及最潮、最辣的技法，如在金属板上作画、用油画棒来作画、用粗麻布来作画，甚至是信手乱画、边听边涂鸦等，让你成为无所畏惧的绘画高手，无论你先前是零基础还是学院派！

这是一本集绘画练习和探索绘画方法于一体的书，它探究了如何重新发现绘画带来的乐趣。对于绘画，你也许会胆战心惊、感到恐慌，每当绘画时，往往会大叫：“我不会画画”。但当你开始这些激动人心的绘画练习后，你的心中会重燃对绘画的强大喜悦和艺术激情。

美国亚马逊网站工艺美术类图书销售榜前十。

●20个有趣的橡皮章制作课程，从礼品签到明信片，应有尽有；

●简明清晰的图文讲解，手把手教会你如何在纸张、织物等表面上印制橡皮章图案；

●50个独家发布的橡皮章图样，让你的橡皮章创作更有趣、更多样。

邀请您一起阅读“西班牙绘画基础经典教程”系列图书

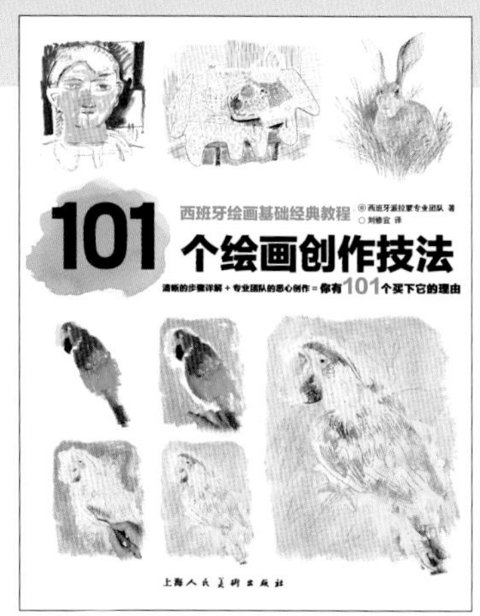

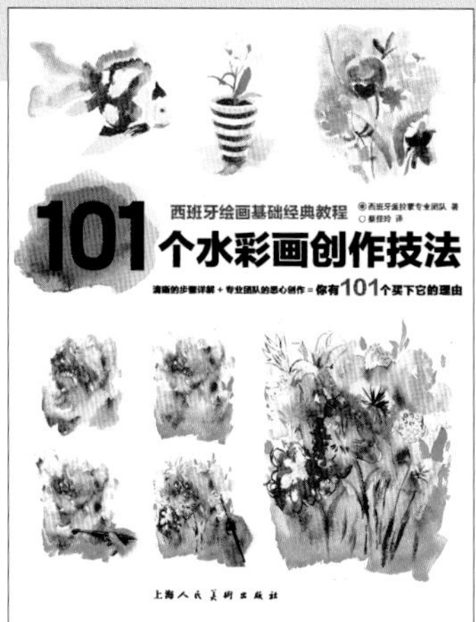

清晰的步骤详解+专业团队的悉心创作=你有101个买下它的理由。

想要学会绘画，就要使用正确的方法。本书中的101个创作技法都是由标了序号的步骤图所组成，同时还附上了详细说明，告知读者此处你所需要的材料和绘画容易程度。每成功完成一个练习，就等于是掌握了一种全新的绘画技法。在这101个可供选择的练习中,无论你是初学者还是专业人士，都能找到合适的实例,并通过不断练习提升自己的绘画创作技巧。本书将带领你向枯燥的绘画理论说再见，用案例教会你绘画创作的101个技法。

邀请您一起阅读更多引进版图书

伦敦圣马丁艺术学校校长，英国“素描与绘画”电视节目撰稿人、主持人，英国社会艺术教育部部长，国家学术大奖委员会委员伊恩·辛普森倾情奉献。

本书的三大特色：1.基础教程，11节以课题作业为基础的课程，教你如何掌握基本的绘画技巧。2.主题和风格，12节探索绘画主要技法的课程，每一课都以一位传统艺术大师或现代艺术大师的代表作品为主体。3.媒介和技法，循序渐进地展示各种不同媒介的主要绘画技法。

本书面向任何一个想要拿起画笔的人！让你在一个个练习中寻找创意灵感、树立手绘信心。

揭秘毕加索、蒙德里安、康定斯基、凡·高、大卫·霍克尼……的绘画技巧，从艺术大师们的创作灵感中找寻自己的绘画风格，树立手绘信心！

本书的几大特色：1.适合任何读者。2.看到就能画出来。3.抛开媒材框架，尽情自由发挥。4.突破传统技法，激发无限可能。

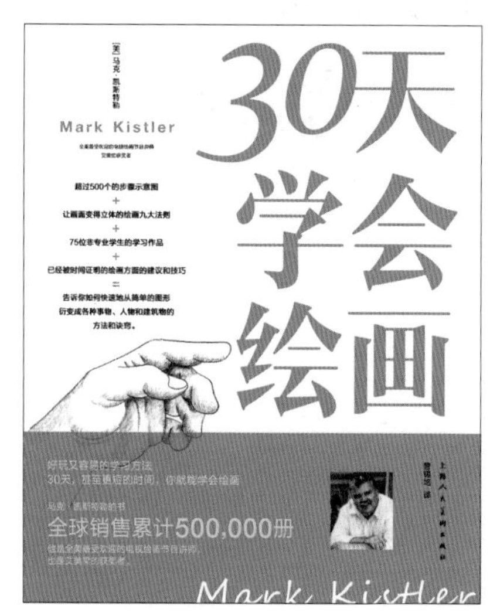

本书的作者是全美最受欢迎的电视绘画节目讲师，也是艾美奖的获奖者。他的书全球累计销售50万册。

本书总结了好玩又容易的学习方法，用超过500个步骤示意图，让画面变得立体的绘画九大法则，75位非专业学生的学习作品，已经被时间证明的绘画方面的建议和技巧，让你用30天，甚至更短时间，就能学会绘画。

图书在版编目（C I P）数据

50个小幅丙烯画创作技法 / （美）尼尔森著 ；刘瑜，
陈浩译．-- 上海 ：上海人民美术出版社，2016.6（2019.5重印）
书名原文：Little ways to learn acrylics:50 small
painting projects to get you started
西方无师自通绘画教程
ISBN 978-7-5322-9775-7

Ⅰ．①5… Ⅱ．①尼… ②刘… ③陈… Ⅲ．①丙烯画－绘
画技法－教材 Ⅳ．①J213.9

中国版本图书馆CIP数据核字(2016)第015887号

合同登记号：图字：09-2015-753

50个小幅丙烯画创作技法——西方无师自通绘画教程

著　　者：［美］马克·丹尼尔·尼尔森
译　　者：刘　瑜 陈　浩
责任编辑：罗秋香
版权经理：康　华
装帧设计：晓　谧
封面设计：陈　洁 周　涑
技术编辑：史　湧
出版发行：上海人民美術出版社
（上海长乐路672弄33号）
邮编：200040　电话：021-54044520
网　　址：www.shrmms.com
印　　刷：上海利丰雅高印刷有限公司
开　　本：889×1194　1/16　9印张
版　　次：2016年6月第1版
印　　次：2019年5月第3次
书　　号：ISBN 978-7-5322-9775-7
定　　价：68.00元